Hoffmann,

Das Praesens der indogermanischen Grundsprache

Grundsprache

in seiner Flexion und Stammbildung

Hoffmann, Otto

Das Praesens der indogermanischen Grundsprache

in seiner Flexion und Stammbildung

Inktank publishing, 2018

www.inktank-publishing.com

ISBN/EAN: 9783750120334

Das Praesens

der

indogermanischen Grundsprache

in seiner

Flexion und Stammbildung.

Ein Beitrag zur indogermanischen Formenlehre

von

Otto Hoffmann.
Dr. phil.

Göttingen,

Vandenhoeck & Ruprecht's Verlag.

1889.

Vorwort.

Bei den schnellen fortschritten, welche die vergleichende sprachforschung im letzten jahrzehnt gemacht hat, fehlt es augenblicklich an arbeiten, welche durch eine zusammenfassende, übersichtliche und leicht verständliche darstellung der indogermanischen formenlehre sowohl dem anfänger als auch dem specialphilologen die möglichkeit bieten, sich über den gegenwärtigen standpunkt der sprachvergleichung und ihre für die einzelsprachen wichtigen resultate zu orientieren.

Die vorliegende arbeit hat den zweck, diese lücke, wenigstens für ein beschränktes gebiet, auszufüllen. Sie will erstens aus einer übersichtlichen zusammenstellung der formen der einzelsprachen die ursprachliche form unter zugrundelegung der uns bekannten lautgesetze ermitteln und zweitens eine deutung der wichtigsten in den einzelsprachen auftretenden nichtursprachlichen formen versuchen.

Als ursprachliche oder grundsprachliche formen habe ich diejenigen angesetzt, welche der arisch-europäischen grundsprache angehörten. Freilich wird es sich in vielen fällen nicht mit sicherheit bestimmen lassen, ob eine den Ariern und Europäern gemeinsame form zur zeit der sprachtrennung wirklich bereits vorhanden war. Denn die möglichkeit, dass die sich deckenden formen unabhängig von einander in den einzelsprachen entstanden, bleibt ja offen, und sie muss, namentlich für die stammbildung, stets berücksichtigt werden. Bei der grossen fruchtbarkeit, welche die praesensbildung mit *i* in den einzelsprachen entwickelte, beweisen zum beispiel das vedische *pácyate* und das griechische $\pi\acute{\epsilon}\sigma\sigma\omega$ = *$\pi\acute{\epsilon}\kappa\jmath\omega$ noch nicht, dass die ursprache ein *pek'io* besass, zumal da sich aus der gleichung ssk. *pácati* = altbulg. *pekq* ein indogermanisches *péko* ergiebt. In solchem falle verlangt es aber die methode, dass wir neben *péko* auch ein ursprachliches *pék'io* ansetzen. Begehen wir damit unbewusst einen fehler, so ist derselbe nicht so bedeutsam, dass wir, um ihn von vornherein auszuschliessen, den einzigen und sicheren weg zum wiederaufbau der grundsprache verlassen sollten.

Umgekehrt ist vielleicht manche form ursprachlich gewesen, die sich nur im Arischen oder im Europäischen belegen lässt. Das indische *tŕshyati* und das gotische *þaúrsjan* weisen auf ein ursprachliches *tŗsi̯ó* hin. Zu dem gotischen *þaírsan* fehlt im Arischen ein entsprechendes praesens. Trotzdem muss *térso* ebenso gut grundsprachlich gewesen sein wie *tŗsi̯ó*. Denn *þaírsan* konnte nicht im Gotischen neu gebildet werden. Indessen verschlägt es nichts, wenn bei mir — streng nach der methode — *térso* nicht unter die ursprachlichen praesentia aufgenommen ist. Dass der einfache typus zweifellos der älteste und anfänglich vielleicht der einzige war, steht ja fest. Auch ursprachlich überwog er noch bei weitem, wie die auf p. 36 ff. gegebene — leicht noch zu vervollständigende — zusammenstellung beweist. Wem es also nicht gerade um die genaue zahl zu thun ist, der wird ein *térso* nicht vermissen.

Von den indogermanischen sprachen sind das Indische (besonders das Vedische), Altpersische, Avestische, Griechische, Italische, Altbulgarische, Litauische und Gotische zu grunde gelegt.

Da das buch ein kurzgefasstes compendium sein soll, so habe ich die litteraturangaben auf das notwendigste beschränkt und die polemik ganz ausgeschlossen.

In der transscription habe ich mich im allgemeinen dem Fick'schen wörterbuche angeschlossen. Die einzige wesentlichere abweichung besteht darin, dass der ursprachliche ƈ-laut nicht mit ƈ, sondern mit c von mir bezeichnet worden ist.

Was endlich die accentuation der ursprachlichen formen betrifft, so habe ich jeder form nur den hauptaccent gegeben. In den imperfektformen ist stets das augment betont. Von den übrigen specialtemporibus trägt im thematischen praesens entweder der stammvokal oder der thematische vokal den accent. Im nichtthematischen praesens habe ich den sitz des accentes nach dem vokalismus der formen bestimmt.

Königsberg i/Pr., im mai 1889.

Otto Hoffmann.

Das praesens in der indogermanischen grundsprache.

§ 1.

Das **praesenssystem** oder das system von formen, welche vom pracsensstamme kommen, besteht aus zwei indikativen, einem indikative praesentis und einem indikative imperfecti, aus zwei conjunktiven, einem conjunktive praesentis und einem conjunktive imperfecti, aus einem optative, einem imperative und eudlich aus zwei nominal flektierten formen, dem infinitive und participium.

Von diesen sogenannten „specialtemporibus" wird der indikativ und conjunktiv praesentis mit den sogenannten primären, der indikativ und conjunktiv imperfecti und der optativ mit den sogenannten sekundären endungen gebildet. Der imperativ hat seine eigenen endungen. Wie wir im folgenden sehen werden, hat vielfach eine vertauschung der sekundären und primären endungen stattgefunden.

Den indikativ praesentis bilden alle sprachen.

Der conjunktiv praesentis ist nur aus dem Veda, dem Eranischen und dem Griechischen zu belegen. Im klassischen Sanskrit ist der ganze conjunktiv (auch der des imperfekts) ausgestorben, einige formen desselben werden in imperativischer bedeutung gebraucht.

Der indikativ imperfecti ist als solcher nur im Arischen und Griechischen erhalten. Das Altbulgarische verwendet das imperfectum als aorist. Das Lateinische hat das imperfectum durch eine neubildung, das Germanische durch das perfectum ersetzt.

1

Fast völlig ist der conjunktiv imperfecti verloren
gegangen. Die meisten reste desselben finden sich im Arischen.
Den imperativ hat das Altbulgarische durch den optativ
ersetzt.

Der optativ und das participium sind in allen sprachen erhalten. Freilich hat der optativ im Slavischen und
Germanischen seine ursprüngliche bedeutung aufgegeben.

Von den mannigfachen formen, in welchen der infinitiv in den einzelsprachen auftritt, lassen sich einige mit
sicherheit der indogermanischen grundsprache zuweisen.

Anmerk. Selbstverständlich müssen bei einer vergleichenden
darstellung die einzelnen modi ihrer form, nicht ihrer bedeutung nach
zusammengestellt werden. Der altbulgarische aorist ist also zum imperfectum, der altbulgarische imperativ zum optative gezogen.

§ 2.

Es gab im Indogermanischen zwei grundflexionen für das
praesens, die sogenannte thematische oder ô-flexion und die
nichtthematische oder mi-flexion.

Beide flexionen unterscheiden sich von einander durch
folgende punkte:

1) Durch den praesensstamm. Das charakteristische der
thematischen flexion besteht darin, dass ein zweisilbiger stamm
zu grunde gelegt wird, dessen zweiter oder thematischer vokal
vor den endungen bald als o bald als e erscheint. Der
stammvokal bleibt in allen modis der gleiche. Der stamm
der nichtthematischen flexion ist entweder einsilbig oder,
wenn zweisilbig, erst sekundär, so dass der auslautende vokal
(a, u) in allen personen durchgeführt wird. Ueber den
stammvokal der mi-flexion siehe 3).

2) Durch einige endungen, welche die mi-flexion vor der
thematischen flexion voraus hat.

3) Durch den accent. Bei der thematischen flexion ruht
der accent durch alle modi fest auf einem der beiden stammvokale, bei der mi-flexion dagegen bald auf einem der stammvokale (bei zweisilbigen stämmen auf dem zweiten), bald auf
der endung. Dadurch ist in der mi-flexion eine verschiedene
gestaltung der stammvokale bedingt.

4) Durch das moduselement des optativs.

§ 3.

Die thematische oder ô-flexion zerfällt wieder in mehrere unterabteilungen:

1) Der wurzeltypus erscheint rein und ohne erweiterungen. Dabei sind 2 fälle zu unterscheiden:

a) Der accent ruht auf der stammsilbe, die in folge dessen hochtoniges *e* führt:

α) *bhéro, bhére* „tragen". — *rézo, réze* „herrschen".

β) *bhéido, bhéide* „zerspalten".

γ) *réudo, réude* „schreien".

b) Der accent ruht auf dem thematischen vokale. Der vokal der stammsilbe ist in folge dessen verkürzt:

α) *bhṛszó, bhṛszé* (zu *bherszo*) „rösten".

β) *āzó, āzé* (zu *āzo*) „führen".

γ) *tvisó, tvisé* (zu *tveiso*) „erregt sein".

δ) *rudó, rudé* (zu *reudo*) „schreien".

2) In den einfachen typus tritt das element *i*. Auch hierbei sind 2 klassen zu sondern:

a) Der accent ruht auf der stammsilbe:

α) *ghédhįo, ghédhįe* (zu *ghedho*) „bitten".

β) *dóįo, dóįe* (zu *dō*) „geben".

b) Der accent ruht auf dem thematischen vokale:

α) *tṛsįó, tṛsįé* (zu *terso*) „dürsten".

β) *svidįó, svidįé* (zu *sveido*) „schwitzen".

γ) *ukįó, ukįé* (zu *euko*) „gern haben".

δ) *k'éįó, k'éįé* (zu *k'e*) „beobachten, ehren, strafen".

3) In den einfachen typus tritt das element *skh*. Diese praesentia scheinen, der vokalisation nach zu schliessen, den accent stets auf dem thematischen vokale gehabt zu haben:

gṃ-skh-ó, gṃ-sk'h-é (zu *g'emo*) „gehen".

4) In den einfachen typus tritt der nasal *n*. Der accent ruht:

a) auf der stammsilbe:

k'é-n-ko, k'é-n-ke (zu *k'eko*) „gürten".

b) auf dem thematischen vokale:

kṛ-n-tó, kṛ-n-té (zu *k'erto*) „zerspalten".

1*

§ 4.

Die flexion dieser 4 wurzeltypen des thematischen praesens ist die gleiche. Ich werde dieselbe daher
im folgenden nur einmal darstellen und zwar an dem reinen
typus *bhéro, bhére*, welcher in allen sprachen zahlreich zu
belegen ist. Fürs Lateinische habe ich das paradigma aus
fero und *veho* zusammen gesetzt, fürs Litauische habe ich
bredù gewählt.

Bei den anderen typen wird es sich wesentlich darum
handeln, diejenigen praesentia festzustellen, welche bereits
ursprachlich nach dem einen oder anderen typus gebildet
wurden.

§ 5.
Die flexion der wurzeltypen bhéro, bhére.
I. Aktivum.
1. Indikativ praesentis.
(Siehe folgende Seite.)

Bemerkungen.

1. Die endung in ssk. *bhárāmi* ist der nichtthematischen
flexion entlehnt. Sie findet sich ebenfalls zweimal auf den
altpersischen keilinschriften in den abgeleiteten verbis *dārayā-
m'iy, jad'iyā-m'iy*. Dagegen endigt im Zd. die 1. sg. vereinzelt noch auf *ā*. Als sichere beispiele führt Bartholomae,
Das altiran. verb p. 16, die drei formen *ufyā, stāyā* und
manya an. Nach Justi kommen noch hinzu: *pereçā, tavā*
(zu *tu*), *zbayā* (neben *zbayêmi*), *yāçā* „ich bitte" (neben *yā-
çāmi*).

Aus der übereinstimmung von zd. *barā* mit europ. *bherō*
ergiebt sich als indogermanische grundform *bhérō*. Dass *bhérō*,
nicht *bhérōmi*, die ursprüngliche form gewesen sei, ist zuerst
von Scherer, ZGdDS.[2] p. 213 ff. ausgesprochen.

2. Das lit. *bredù* ist unter dem einflusse des gestossenen
accentes aus *bredū* verkürzt. Lit. *ū* ist der vertreter von
idg. *ō*.

Im Gotischen wurde in mehrsilbigen worten jeder seit

I. Aktivum.

1. Indikativ praesentis.

	Ssk.	Zd.	Griech.	Lat.	Got.	Altbulg.	Lit.
S. 1.	bhárāmi	barā und barāmi	φέρω	fero	baira	berą	bredù
2.	bhárasi	barahi	φέρεις	vehis	bairis	bereši	bredì
3.	bhárati	baraiti	φέρει	vehit	bairiþ	beretŭ altruss. -tĭ	brèda
D. 1.	bhárāvas	—	—	—	bairos	berevě	brèdava
2.	bhárathas	—	φέρετον	—	bairats	bereta	brèdata
3.	bháratas	baratô	φέρετον	—	—	berete	—
P. 1.	bhárāmas daneben -masi	barāmahi	φέρομες (dorisch)	ferimus aber quaesumus	bairam	beremŭ	brèdame
2.	bháratha	baratha	φέρετε	vehitis	bairiþ	berete	brèdate
3.	bháranti	bareñti	φέρουσι	ferunt älter feronti	bairand	berątŭ altruss. -tĭ	—

uridg. zeit im auslaute stehende lange vokal verkürzt, also *baíra* (*ai* vor *r* und *h* statt *i* = idg. *e*) für idg. *bherō*.

3. Das Altbulgarische *berą* könnte der form nach conjunktiv imperfecti sein. Doch ist es mir wahrscheinlicher, dass es aus **berā* — idg. *bherō* und der nachträglich angefügten sekundären endung -*m* zusammengesetzt ist.

4. Dass -*si* die ursprüngliche endung der 2. sg. gewesen ist, ergiebt sich aus der identität von ar. *bhárasi* und got. *bairis*. Das gotische *bairis* steht für **bairizi* nach dem gesetze, dass ein seit idg. zeit im auslaute stehender kurzer vokal (mit ausnahme von *n*) in mehrsilbigen worten abgeworfen wird.

Das altbulgarische *bereši* fasse ich als medialform. Die endung *ši* ist aus **śĕ* = idg. -*sei* verkürzt. Einer derartigen verkürzung eines altbulg. *ĕ* = idg. *oi* begegnen wir im optative (imperative) z. b. *berĭ* aus **berĕ* = idg. *bheroit*. Das altbulgarische *bereši* lässt sich mit dem indischen *bhárase* = gr. *φέρε(σ)αι* nicht unmittelbar gleichsetzen.

5. Griech. *φέρεις* kann nicht aus *φέρεῖ* = *φέρεσι* plus der sekundären endung -*ς* entstanden sein, da Homer zwei vokale, die ursprünglich durch sigma getrennt waren, nicht contrahierte (vergl. *κράτεῖ*, *μένεῖ*). Ebensowenig lässt sich *φέρει* aus **φέρετι* herleiten.

Von der form *φέρει* ist auszugehen. Dieselbe ist — ebenso wie das eben besprochene altbulgarische *bereši* — eigentlich eine mediale form und identisch mit dem arischen *bháre* (= *bhárate*), welches im Veda (*joshe, tocé, mahe, cáye, sére, stáre*) und im Zend (*içĕ* neben *içaitĕ*) sich findet. Ganz gewöhnlich endigt die 3. sg. perfecti auf -*ĕ*: *ūcĕ, ūcisĕ, ūcĕ*.

Dass das arische *bháre* in der 3. pers. auf ein idg. *bhérei* zurückgeht, werden wir beim medium sehen.

Ein weiteres sehr hübsches beispiel dafür, dass eine medialform des Sanskrit im Europäischen ins activum hinübergezogen ist, bietet das lateinische perfectum *dedī* „ich habe gegeben", welches sich lautlich mit ssk. *dadĕ* deckt.

Die zweite person *φέρεις* ist wahrscheinlich nach dem verhältnisse *ἔφερες, ἔφερε* neu von *φέρει* aus gebildet.

6. Das litauische *bredì* ist aus *bredĕ* verkürzt, wie die

mediale (durch anfügung von *s* gebildete) form *snkē-s* beweist.
Ob **bredē* auf **bredoi*, **bredai* oder gar **bredei* zurückgeht,
lässt sich vorläufig nicht entscheiden.

7. In den lateinischen formen *vehīs* und *rehīt* ist das *i*
stets kurz (vgl. Neue, Lat. formenlehre, II² p. 437). Für
die wenigen fälle, in denen Horaz *-it* als länge gebraucht
(*figit* Carm. 3, 24, 5, *defendit* Serm. 1, 4, 82, *agit* 2, 3, 260),
hat man mit recht eine ictus-dehnung angenommen. *vehīs*
geht also auf idg. *vézhesi*, *vehīt* auf *vézheti* zurück. Das
schliessende *i* ist ebenso wie in der 3. plur. abgeworfen.
Eine gleichsetzung von griech. **ϝέχεις* und latein. *vehīs* ist
lautlich möglich, da auch in der 3. sg. der langvokaligen
verba kürzung eintritt (*amāt* neben *amat*, *habēt* neben *habēt*).
Da sich jedoch *vehīt* weder mit **ϝέχει* gleichsetzen, noch von
vehīs trennen lässt, so ziehe ich die obige deutung beider
formen vor.

8. Got. *bairiþ* steht für **bairidi* nach dem oben erwähnten auslautsgesetze.
Das litauische *brèda* steht für **brèdat*. Sowohl die endung
(sekundäres *t*) wie der thematische vokal (*a* = *ŏ*) sind unregelmässig. *brèda* könnte auch 3. plur. = **brèdant* sein.

9. Die gotische dualform *bairôs* muss aus **bairōrs*
bairōvis, ssk. **bhárávas* hervorgegangen sein. Denn aus **bai-
ravis* hätte nur **bairaus* werden können, vergl. *sunaus* aus
*sunavis.
Das *i* der endung **-ris* = idg. *-ves* fiel aus nach dem
gesetze, dass in mehrsilbigen worten jeder aus idg. zeit stam-
mende kurze endsilbenvokal (mit ausnahme von *u*) ausgestossen wird.

10. Ist die litauische endung *-va* vielleicht identisch mit
der gotischen optativ-endung *-va?*

11. Als grundform für die endung der zweiten dual.
ergiebt sich aus einer vergleichung von ssk. *bhárathas* mit
got. *bairats* ein *-thes*.
Aus *th* musste mit lautverschiebung *t* werden und *e*
schwand nach dem in 9) erwähnten gesetze. Sehr wahrscheinlich ist auch das lateinische *vehītis* ursprünglich die

2. dual. Aus idg. *-thes* musste im Lateinischen mit verlust der aspiration und schwächung des *e* zu *i* *-tis* werden.

Ist die gleichung lat. *vehitis* = ssk. *váhathas* richtig, dann lässt es sich freilich nicht entscheiden, ob der thematische vokal in dieser person ursprachlich *e* oder *o* gewesen ist. *vehitis* spricht für *e*, *bairats* für *o*. Ich möchte einem *e* den vorzug geben, da der thematische vokal in der 2. pers. des singulars und plurals ebenfalls bereits ursprachlich *ĕ* war.

12. Die formen altbulg. *bereta* und lit. *brèdata* lassen auf eine gemeinsame endung idg. *-tāt* schliessen. *-tāt* musste im Litauischen zu *-ta* verkürzt werden, während es im Altbulgarischen nur den dental einbüsste.

13. Die endung der 3. dualis war ursprachlich *-tes*, wie die übereinstimmung von ssk. *bháratas* und altb. *berete* lehrt. Auslautendes *s* wurde im Altbulgarischen abgeworfen. Zd. *-tô* steht für *-tas*, das z. b. noch erhalten ist in *carataçca* = *caratas + ca*.

Das griechische φέρετον ist mit der sekundären endung der 2. pers. des dualis gebildet.

14. Die primäre endung der 1. pers. pluralis *-mes* ist im Griechischen nur im dorischen dialekte bewahrt. Das gemeingr. *-μεν* scheint aus der sekundären endung *-me* durch *n* erweitert zu sein. Das arische *-masi* ist aus *-mas* erweitert. Den anlass hierzu gab vermutlich die 1. sg. *bhárāmi*. Ebenso scheint die dehnung des thematischen vokales in *bhárāmasi* aus der 1. sg. per analogiam übernommen zu sein.

Das gotische *bairam* ist mit der sekundären endung gebildet. Der thematische vokal der 1. plur. war ursprachlich *o*. Im Lateinischen ist er nur in den formen *quaesumus, volumus, nolumus, malumus* erhalten. Das *i* in *ferimus* scheint aus den zweiten personen eingedrungen zu sein.

Die lateinische endung *-mus* (vielleicht altbulg. *-mŭ*) geht wahrscheinlich auf *-môs* zurück.

15. Das griechische φέρετε und gotische *bairiþ* (nach dem mehrfach erwähnten anslautsgesetze für *bairidi* = *bhérete*) haben die sekundäre endung.

Das altbulgarische *berete* kann sowohl auf *bhérethe* wie

bhérete (mit sekundärer endung) zurückgehen. Ueber latein.
vehitis siehe 11).

16. In der 3. plur. zd. *bareṅti* ist *e* aus *a* durch wirkung
des folgenden nasals entstanden.

Das griech. φέροντι ist nur in den westgriechischen
dialekten erhalten. Das Achäische, Aeolische und Ionische
assibilierten τ vor ι: so entstanden
ach. φέρονσι, aeol. φέροισι, ion. φέροισι.

Die älteste lateinische form ist *tremonti* im carmen Sa-
liare. Die nächste stufe, *feront*, ist inschriftlich mehrfach
überliefert (vgl. Neue, Lat. Formenlehre, II² p. 437).

Die gotische form *bairand* steht für **bairand* = **bairandi*.
Die tönende spirans *d* trat für die tonlose *þ* = idg. *t* ein,
weil der accent nicht unmittelbar vorherging.

Die altbulgarischen quellen haben für die 3. sg. und plur.
durchweg die endungen *-tŭ*, *-ntŭ*, die altrussischen *-tĭ*, *-ntĭ*.
Ob *-n* sich dialektisch aus *-i* entwickelt hat, ist eine frage,
die sich vor der hand nicht beantworten lässt. Denkbar ist
es auch, dass *-tŭ* und *-ntŭ* alte imperativendungen sind und
den arischen endungen *-tu*, *-ntu* (*bháratu*, *bhárantu*) entsprechen.

17. Bei der mannigfaltigkeit der formen halte ich es
für notwendig, noch einmal die einander deckenden aufzu-
führen:

S. 1. Zd. *barâ* = gr. φέρω = lat. *fero* = got. *baira* =
lit. *bredù*.

S. 2. Ssk. *bhárasi* – zd. *barahi* = lat. *vehis* = got. *bairis*.

S. 3. Ssk. *bhárati* = zd. *baraiti* = lat. *vehit* = got. *bui-*
riþ = altruss. *beretĭ*.

D. 1. Ssk. *bhárâvas* = got. *bairos*.

D. 2. Ssk. *bhárathas* = got. *bairats* oder = lat. *vehitis.*

D. 3. Ssk. *bháratas* = altbulg. *berete.*

P. 1. Keine sich streng deckenden formen überliefert. Doch
ist die dehnung in *bhárâmas* wahrscheinlich sekundär,
gr. φέρομες.

P. 2. Ssk. *bháratha* = altbulg. *berete.*

P. 3. Ssk. *bháranti* = zd. *bareṅti* = griech. φέροντι =
altlat. *vehonti* = got. *bairand* = altruss. *berqtĭ.*

Aus ihnen ergiebt sich folgendes

Ursprachliches paradigma.

S. 1. *bhérō*   2. *bhéresi*   3. *bhéreti*

D. l. *bhéröves*   2. *bhérethes*   3. *bhéretes*
                          (oder *bhérothes?*)

P. 1. *bhéromes*   2. *bhérethe*   3. *bhéronti*.
      (oder *bhérömes?*)

---

2. Conjunktiv praesentis.

	Veda.	Zd.	Griech.
S. 1.	*bhárā*	—	φέρω
2.	*bhárási*	*baráhi*	φέρῃις
3.	*bháráti*	*baráiti*	φέρῃι
D. 2.	*bhárāthus*	—	φέρητον
3.	*bhárátas*	*barátô*	φέρητον
P. 1.	—	—	φέρωμες
2.	*bhárátha*	—	φέρητε
3.	—	*baráoñti*	φέρωντι.

Bemerkungen.

1. Der conjunktiv unterscheidet sich nur durch die dehnung des thematischen vokales vom indikative.

2. Ueber die griechischen formen φέρῃις, φέρῃι, φέρητον und φέρῃτε gilt das zum indikativ bemerkte. φέρῃις und φέρῃι sind erst zu φέρεις, φέρει auf griechischem boden gebildet.

3. Die 1. sg. auf -á ist für diese klasse im Veda nur einmal belegt: *arcá*. Ein zweites beispiel existiert für die tud-klasse: *mrkshá*. In 12 fällen ist bereits die ihrem ursprunge nach nicht näher zu bestimmende endung -*ni* angefügt: *váhāni*, *pacāni* u. a.

4. Der lateinische conjunktiv praesentis auf -*am*: *feram, feras, ferat, feramus, feratis, ferant* ist ein alter thematischer *ā*-aorist. Dem *feras* und *ferat* entsprechen genau die vedischen formen *rádhis* und *rádhīt*, welche zugleich für den indikativ und den conjunktiv aoristi stehen. In unseren

grammatiken werden sie fälschlich zum *s*-aoriste gezogen.
Sie sind vielmehr reste des alten *ä*-aoristes (idg. *ä* = ssc. *i*),
welcher im Griechischen noch in zahlreichen beispielen vertreten ist: $εἶπα$, $ἔνεικα$, $ἔκῃϝα$, $ἔχεϝα$ u. a.

Von diesem *ä*-aoriste sind im Lateinischen auch reste
des indikativs erhalten: *erat* = ssc. *á'sit*.

Jeder alte indogermanische aorist war zugleich indikativ
und conjunktiv. So geht z. b. auch der conjunktiv *cre-duam*
= **cre-dovam* auf einen alten aorist *e-dovä* zurück, der in
arc. $ἀπνϑόας$ = $ἀπιϑόϝας$ Coll. Samml. 1222,13 und cypr.
$δοϝέ-ναι$ 60,5,15 erhalten ist.

Der oskische und umbrische conjunktiv war ebenfalls
aorist: *deikans* = *dicant*, *habia* = *habeat*.

Die lateinischen conjunktivformen

portêm, *portês*, *portêt* u. s. w.

sind der form nach optative, vgl. lat. *stent* = osc. *stäíet*.

5. Der echte alte conjunktiv ist im Lateinischen als
futurum erhalten: die lateinischen formen *ferês*, *ferêt* entsprechen genau den indischen formen *bhárási*, *bháráti* = idg.
bhérēsi, *bherēti*.

Einen zweiten beleg für die verwendung des idg. conj.
praesentis für das lateinische futurum bildet *ero* „ich werde
sein", welches mit dem griechischen conjunktive praes. $ἔω$ =
$ἔ(σ)ω$ identisch ist.

Wie nahe sich die bedeutungen des futurums und des
conjunktivs standen, dafür mag die im anfange des hymnus
auf den delischen Apollo stehende phrase

$μνήσομαι$ $οὐδὲ$ $λάϑωμαι$

zum beweise dienen.

Für *ferônt* sollten wir eigentlich *ferônt*, *ferûnt* erwarten.
Hier haben offenbar *feres*, *feret*, *feremus*, *feretis* die veranlassung zur analogiebildung gegeben.

Ursprachliches paradigma.

S. 1. *bhérō*   2. *bhérēsi*   3. *bhérēti*

D. 1. *bhéróves*   2. *bhérēthes*   3. *bhérētes*

P. 1. *bhérômes*   2. *bhérēthe*   3. *bhéronti*.

3. Indikativ imperfecti.

Ssk.	Altpers.	Zd.	Griech.	Altbulg.
ábharam	*abaram*	*barem*	ἔφερον	*berŭ*
ábharas	*abara?*	*baró*	ἔφερες	*bere*
ábharat	*abara*	*barat*	ἔφερε	*bere*
ábharâva	—	—	—	*berovĕ*
ábharatam	—	—	ἐφέρετον	*bereta*
ábharatâm	—	*barátem*	ἐφερέτᾱν	*berete*
ábharâma	*abarâma*	—	ἐφέρομεν	*beromŭ*
ábharata	—	—	ἐφέρετε	*berete*
ábharan	*abara*	*baren*	ἔφερον	*berą.*

Bemerkungen.

1. Die dehnung des thematischen vokales in *ábharâva*, *ábharâma* ist vielleicht durch die indikativformen *bhárâvas*, *bhárâmas* hervorgerufen.

Schwieriger ist das altbulgarische *berą* = *berön* zu beurteilen, da sich diese dehnung des thematischen vokales in der 3. plur. auch durch einige beispiele aus dem Veda belegen lässt: *árcân* (2 mal) neben *á'rcan* (3 mal), *várdhân* (2 mal) neben *ávardhan* (10 mal). Wahrscheinlich gehörten diese formen ursprünglich zum conjunktive imperfecti. Die verwendung derselben als indikative erklärt sich, sobald wir bedenken, dass neben den regelmässigen (durch das fehlen des augmentes und dehnung des thematischen vokales vom indikative unterschiedenen) conjunktivformen des imperfekts zugleich die augmentlosen formen des indikativs als conjunktive fungieren konnten. Hatte *bháran* zugleich indikativische und conjunktivische bedeutung, so konnte umgekehrt auch der conjunktiv *bhárân* als indikativ verwandt werden.

2. Die 3. dual. ist für das Zend nur in der einen form *pairi-avâtem* (zu *ávaiti*) yt. 13, 77 zu belegen. Die endung *-tem* = urarisch *-tam* ist die der zweiten person und von dieser — ebenso wie im indikative praesentis des Griechischen (φέρετον) — auf die dritte person übertragen.

3. Die 1. pl. ist für das Altpersische zu erschliessen aus *ṣiy-a-tarayâma* Bh. I, 88.

Die 1. und 2. pl. sind im Zend für diese klasse nicht überliefert. Die endungen waren -*má* und -*tá* (mit sekundärer dehnung).

4. Das altbulgarische *nese* steht sowohl für *neses*, wie für *neset*, da *s* und *t* im altbulgarischen auslaute abfielen.

5. Die griechische endung -*μεν* ist aus -*με* erweitert.

6. Die altbulgarischen formen *nesově*, *neseta*, *nesete* und *nesomŭ* sind mit den primären endungen gebildet. Es ist deshalb wahrscheinlich, dass auch das *nesete* des plurals auf **nesethe* und nicht auf *nesete* zurückgeht.

7. Nicht mit sicherheit lässt sich die ursprachliche form für die 3. plur. feststellen. Sie endigt in allen drei sprachen auf -*n*. Dieses -*n* ist, wie wir aus dem verhältnisse der endungen *si : s* und *ti : t* schliessen dürfen, aus -*nt* entstanden. Ungewiss bleibt es aber, ob das -*t* bereits in der indogermanischen grundsprache oder erst in den einzelsprachen abgefallen ist.

8. Das augment bildete keinen integrierenden teil des indikativs imperfecti. In den ältesten poesieen der Inder und Griechen, im Veda und im Homer, kann dasselbe beliebig fehlen. Man hat hierin keine willkürliche licenz der poeten, sondern eine eigentümlichkeit der lebendigen sprache jener zeiten zu sehen. Dieses ergiebt sich mit notwendigkeit daraus, dass im Avesta und im Altbulgarischen das augment fehlt. Denn die annahme, dass in diesen beiden sprachen das augment verloren gegangen sei, ist ebenso willkürlich wie unmethodisch.

Zur zeit, als die vedischen und homerischen gesänge entstanden, empfand man noch, dass das augment ein späterer und nur fakultativer vorschlag — wahrscheinlich pronominalen charakters — war. Erst in der klassischen periode der indischen und griechischen sprache wurde das anfänglich nur fakultative element zu einem festen und unentbehrlichen bestandteile des imperfekts.

Da die entstehung des augmentes zweifellos bereits in der ursprache liegt, so müssen wir für diese eine doppelte form des imperfekts, mit und ohne augment, ansetzen.

9. Die einander deckenden formen sind:

S. 1. Ssk. *ábharam* = altp. *abaram* = zd. *barem* = gr. *ἔφερον* = altb. *berŭ*.

2. Ssk. *ábharas* = altp. *abara* = zd. *barô* = gr. *ἔφερες* = altb. *bere*.

3. Ssk. *ábharat* = altp. *abara* = zd. *barat* = gr. *ἔφερε* = altb. *bere*.

D. 2. Ssk. *ábharatam* = gr. *ἐφέρετον*.

3. Ssk. *ábharatâm* = gr. *ἐφερέταν*.

P. 1. Die arische und griechische form decken sich nicht genau. Die arische dehnung des thematischen vokals scheint sekundär zu sein.

2. Ssk. *ábharata* = gr. *ἐφέρετε*.

3. Ssk. *ábharan* = zd. *baren* = gr. *ἔφερον*.

Aus ihnen ergiebt sich als

Ursprachliches paradigma.

I.

S. 1. *bhérom*	2. *bhéres*	3. *bhéret*
D. 1. *bhérõve?*	2. *bhéretom*	3. *bhéretām*
P. 1. *bhérome*	2. *bhérete*	3. *bhéron*
(oder *bhérõme?*)		(oder *bhéront*).

II.

S. 1. *ébherom*	2. *ébheres*	3. *ébheret*
D. 1. *ébherõve?*	2. *ébheretom*	3. *ébheretām*
P. 1. *ébherome*	2. *ébherete*	3. *ébheron*
(oder *ébherõme?*)		(oder *ébheront*).

---

4. Conjunktiv imperfecti.

	1. Veda 2.	Zd.	Griech.	Got.	Altbulg.
S. 1.	— *bháram*	—	—	*bairau* (1.s. opt.)	*berą* (1.s. ind. praes.)
2.	*bhárâs bháras*	*barâo*	—	—	—
3.	*bhárât bhárat*	*barât*	—	—	—
D. 1.	*bhárâva*	—	—	—	—
2.	— [*bháratam*]	—	[*φέρετον*]	[*bairats*]	—

1. Veda	2.	Zd.	Griech.	Got.	Altbulg.
D. 3. — [bhárátâm]	—	—	—	—	—
P. 1. bhárâma		—	—	[bairam]	—
2. — [bhárata]	[harata]	[φέρετε]	[bairiþ]	—
3. bhárân bháran		—	—	—	berq
					(3. pl. ind.
					impft.)

Bemerkungen.

1. Die in klammern gesetzten formen, welche sämmtlich dem vom indikative nur durch das fehlen des augmentes unterschiedenen conjunktive imperfecti angehören, werden ausschliesslich als imperative gebraucht. Auch die formen *bhárâva* und *bhárâma* haben im klassischen Ssk. imperativische funktion.

2. Das gotische *bairau*, welches als 1. pers. sing. des optativs fungiert, ist eigentlich conjunktiv imperfecti und steht für **bairōm*. Diese form musste im Gotischen den auslautenden nasal verlieren und verwandelte dann weiter das durch den abfall von *m* offen gewordene *ó* in *au*.

Ebenso geht das altn. *bera*, die 1. sg. des conjunktivs praes. auf eine grundform *berōn* = idg. *bhérōm* zurück, in welcher zunächst der nasal abfallen und dann *ō* zu *a* verkürzt werden musste, vgl. den gen. plur. der *a*-stämme: *barna* aus *barnōn*.

Freilich lassen sich altn. *bera* und got. *bairau* auch aus einer urgerm. form **bérau* mit echtem *au* ableiten, da *au* im altn. zu *ó* contrahiert und darauf im auslaute zu *a* gekürzt wurde. Gegen diese (z. b. von Noreen, Altisl. gramm. p. 60 u. a. vertretene) anschauung spricht aber, dass eine urgermanische form *bérau* ihrer bildung nach unerklärbar sein würde.

Ferner lassen sich dafür, dass idg. *ō*, wenn es vor schliessendem *m* stand, im Gotischen nach abfall des nasals zu *au* wurde, zwei weitere belege anführen. Es sind die gotischen sekundären medialendungen *-dau* und *-ndau*, welche, wie bereits Schleicher, Compendium[1] p. 531 und 533 richtig erkannte, eigentlich mediale imperativendungen sind und genau den arischen endungen *-tâm* =. idg. *-tōm* und *-ntâm* = idg. *-ntōm* entsprechen (got. *bairadau* = ssk. *bháratâm* „er soll tragen", *bairandau* — ssk. *bhárantâm* = griech. *φερόντων*

„sie sollen tragen"). Iu imperativischer bedeutung sind im Gotischen überliefert *atsteigadau* καταβάτω, *lausjadau* ῥυσάσθω, *liugandau* γαμήτωσαν.

Endlich scheint mir auch das bislang ungedeutete got. *ahtau* „acht", welches man irrtümlich mit ved. *ashṭáu* gleichgesetzt hat, auf eine grundform **ahtôu* zurückzugehen. Eine erweiterung durch *n* oder *ne* (vgl. auch ἐγώ-ν neben ἐγώ, thess. τόνε für τό) lässt sich zwar für ein urgerm. **ahtō* in keinem der dialekte belegeu, dafür aber für das zahlwort „zwei" : got. *twai* = ahd. *zwê-ne*. Dieses — offenbar uur verstärkende — *n* ist auch im Griechischen nachzuweisen. Hesych überliefert δέων. δύο. Δωριεῖς, eine glosse, zu deren änderung (M. Schmidt δυῶν) ich keine veranlassung sehe.

Wahrscheinlich bezeichnet die gotische schreibung *au* in den angeführten fällen einen dumpfen nach *â* hin liegenden laugen *o*-laut.

Natürlich war got. *ô* = idg. *â* diesem lautwandel nicht unterworfen, z. b. *gibô* gen. plur. aus **gibôm* = idg. *-ậm*, *izô* gen. plur. des femininums aus **izôm* = idg. *-âm*, *viduvô* „die wittwe" für **viduvôn*, lat. *vidua*.

Als ausnahmen von der regel, dass idg. *-ôm* zu got. *-au* wird, könnte man neutrale nominative wie *namô* = **namôn* anführen. Da diese indessen bis jetzt noch keine sichere deutung erfahren haben, so beweisen sie vorläufig nichts.

3. Das altbulgarische *berą* „ich trage" kann seiner form nach conjunktiv imperfecti sein. Wiewohl mir diese deutung nicht gefällt (vgl. oben p. 6), will ich doch zwei germanische conjunktive nennen, welche sich für dieselbe geltend machen lassen: got. *viljau* „ich will" und mhd. *taete* „er that" (bei uns noch dichterisch „er thät" für „er that").

Zweifellos ist dagegen die 3. plur. ind. impft. *berą* „sie trugen" ursprünglich eine conjunktivform vgl. oben p. 12.

4. Die älteste form des conjunktivs unterschied sich von den ursprünglich augmentlosen formen des indikativs nur durch die dehnung des thematischen vokales. Als aber das augment vor den indikativ trat, bildete man, wie wir noch deutlich aus dem Sanskrit sehen, eine zweite form des conjunktivs, welche sich vom indikative nur durch das fehlen

des augmentes unterschied. Wir haben also eine ältere und eine jüngere form des conjunktivs zu unterscheiden:

Ursprachliche paradigmata.

I.

S. 1. *bhérōm*	2. *bhérēs*	3. *bhérēt*
D. 1. *bhérōve*	2. *bhérētom*	3. *bhérētām*
P. 1. *bhérōme*	2. *bhérāte*	3. *bhérōn(t).*

II.

S. 1. *bhérom*	2. *bhéres*	3. *bhéret*
D. 1. *bhérove?*	2. *bhéretom*	3. *bhéretām*
P. 1. *bhérome?*	2. *bhérete*	3. *bhéron(t).*

5. Der optativ.

Ssk.	Zend.	Griech.	Got.	Altbulg.
bháreyam	—	φέροιν	—	—
(= *bhára-i̯-m̥*)		und φέροιμι		
bháres	*barôis*	φέροις	*bairais*	*beri*
				(= *berois*)
bháret	*barôit̯*	φέροι	*bairai*	*beri*
		(= φέροιτ) (= *bairaid̯*) (= *beroit*)		
bháreva	—	—	*bairaiva*	*berěvě*
bháretam	—	φέροιτον	*bairaits*	*berěta*
			(= *bairaitis*) (= *beroita*)	
bháretām	*baraêtem*	φεροίτᾱν	—	—
bhárema	*baraêma*	φέροιμεν	*bairaima*	*berěmŭ*
bháreta		φέροιτε	*bairaiþ*	*berěte*
bháreyus	*barayen*	φέροιεν	*buiraina*	
(= *bhára-i̯-us*)		und φέροιν.		

Bemerkungen.

1. Das indische *bháreyam* ist aus *bhára-i̯-m̥* hervorgegangen. Fick erkannte, dass die indogermanische nasalis sonans m̥ im Arischen zu *am* wird, während die nasalis sonans n̥ sich in *a* verwandelt, z. b.

ssk. *pitáram* = gr. πατέρα, idg. *pater-m̥*, dagegen
ssk. *dáça* gr. δέκα — got. *taíhun* aus idg. *dec-n̥*.

2. Die beiden griechischen formen τρέφοιν und ἁμάρ-
τοιν, von denen die erstere aus Euripides, die letztere aus
Cratinos von den grammatikern citiert wird, pflegt man für
altertümliche bildungen zu halten (vgl. Curtius, Verbum²
1, 46). Ich würde daran glauben, wenn diese formen im
Homer überliefert wären. Indessen ist es eine mehr als ge-
wagte vermutung, dass eine urgriechische form φέροιν, von
der Homer nichts weiss, in je einem fragmente des Euripides
(im trimeter) und des komikers Cratinos erhalten sei. Mir
scheint vielmehr das verhältnis von φέροιμεν zu ἐφέρομεν,
von φέροις zu ἔφερες u. s. w. die veranlassung gewesen zu
sein, dass man in der sprache des gewöhnlichen lebens zu
ἔφερον einen optativ φέροιν an stelle des gemeingriechischen
φέροιμι bildete. Bestätigt wird diese vermutung dadurch,
dass, wie wir in nr. 2 sehen werden, im delphischen dialekte
auch für die 3. plur., welche urgriechisch φέροιεν lautete,
nach ἔφερον eine kürzere form φέροιν gebildet wurde.

φέροιμι war also gemeingriechisch — freilich nicht urgriechisch. Denn die endung -μι ist erst dem nichtthematischen praesens entlehnt. Die älteste form muss, dem Ssk.
nach zu schliessen, im Griechischen *φέρσ-ι-η gelautet haben.
In dieser form musste sich nach dem späterhin genauer von
mir zu besprechenden lautgesetze, dass idg. i̯ im Griechischen
als ι auftritt, wenn der accent nicht unmittelbar vorhergeht,
das ι in ι verwandeln und die nasalis sonans in folge dessen
zu ν werden. Die urgriechische form hat also wohl *φέροιν
gelautet. Sie fiel durch zufall mit der oben erwähnten
analogiebildung zusammen.

3. Die 3. plur. endigte ursprachlich auf -oi̯en, wie die
übereinstimmung des Griechischen und Avestischen (φέροιεν
= barayen für *barayan) lehrt. Die auf delphischen in-
schriften überlieferten formen παρέχοιν, θέλοιν, ποιέοιν sind
also nicht, wie G. Meyer, Griech. gramm.² p. 506 annimmt,
reste einer älteren flexion, sondern analogiebildungen nach
den pluralformen φέροιμεν, φέροιτε.

Die vermutung, dass gr. φέροιεν eine analogiebildung
nach δοῖεν, θεῖεν, σταῖεν etc. sei, wird durch das avestische
barayen abgeschnitten.

4. In den elischen formen ἀποτίνοιαν, ἐνπεδέοιαν ist das α wahrscheinlich durch einwirkung des folgenden nasals aus ε entstanden. Die gleiche vokalschwächung hat im Elischen in ausgedehntem masse vor ϱ stattgefunden.

5. Die indische endung -us in bháreyus stammt aus dem aoriste und perfekte. Sie ist von hier aus zunächst in das imperfectum eingedrungen (ved. ákramus, átvishus) und hat sich dann dauernd im optative festgesetzt.

6. Zur erklärung der avestischen formen bemerke ich, dass aê und ói im Avesta die regelmässigen vertreter eines urarischen ai = idg. oi vor consonanten sind.

7. Im altbulgarischen berĭ, welches nach dem bereits erwähnten altbulgarischen auslautsgesetze sowohl für *berĕs wie für *berĕt steht, ist das auslautende i aus ĕ verkürzt.

Dass das ĕ der dual- und pluralformen aus idg. oi entstanden ist, beweisen die optativformen derjenigen wurzeln, welche auf gutturale auslauten. Denn sie verwandeln vor diesem ĕ ein k in c, g in dž ž, ch in s, z. b. pecěta zu pekq, lędzěta zu lęgq.

Vor einem ĕ = idg. ē oder ei müsste k zu č, g zu ž (dž) und ch zu š werden.

8. Die gotische form baíraua scheint aus *baíravō verkürzt zu sein. Die endung -vō würde dann vielleicht ein nom. dual. sein und „wir beide" bedeuten. Sind baírama und baíraina nach der analogie von baíraiva aus *baíraim, *baírain erweitert? Oder steht auch baíraima für *baíraimō und gehört seiner bildung nach zu lat. feri-mus = *feri-mō-s?

9. Ueber die altbulgarischen endungen habe ich bereits früher gesprochen.

Ursprachliches paradigma.

S. 1. bhéro-i-m̥	2. bhéro-i-s	3. bhéro-i-t
D. 1. bhéro-i-ve	2. bhéro-i-tom	3. bhéro-i-tām
P. 1. bhéro-i-me	2. bhéro-i-te	3. bhéro-i̯-en.

2*

6. Imperativ.

	Ssk.	Zd.	Griech.	Lat.	Got.
S. 2.	*bhára*	*bara*	φέρε	*rehe*	*baír*
	bháratât	—	φερέτω	*rehitô*	—
			(aus φερέτωτ)	alt *rehitôd*	
3.	*bháratu*	*baratu*	φερέτω	*rehitô(-d)*	—
D. 2.	[*bháratam*]	—	[φέρετον]	—	[*baírats*]
3.	*bháratâm*	[*baratem*]	φερέτων	—	—
P. 1.	[*bhárâma*]	[*barâma*]	—	—	[*baíram*]
2.	[*bhárata*]	[*barata*]	[φέρετε]	[*rehite*]	[*baíriþ*]
3.	*bhárantu*	*bareñtu*	φερόντων	*feruntô*	—
			und φερόντω.	alt *feruntôd*.	

Bemerkungen.

1. Die in klammern gesetzten formen waren, wie wir
mit sicherheit behaupten können, ursprünglich sämmtlich conjunktive imperfecti und sind bereits unter dem conjunktive
imperfecti von mir aufgeführt. Das avestische *baratem* ist
eigentlich die 2. dual. conj. impft., die hier stellvertretend für
die 3. dual. steht. Auch im indikative imperfecti wird im Zend
die 2. dual. *baratem* für die 3. dual. gebraucht. Eine gleiche
vertretung von der 3. dual. imper. φερέτων durch die 2. dual.
imper. = 2. dual. conj. impft. φέρετον ist auch für das
Griechische bezeugt (Curtius, Verb. II², 68).

Sehr schwierig ist die beurteilung des indischen *bháratâm*
du. 3. Lautlich lässt es sich mit griech. φερέτων gleichsetzen.
Andrerseits aber kann es auch conj. impft. sein und einem
griechischen φερέταν entsprechen. Für die letztere auffassung
lässt sich geltend machen, dass nicht nur *bháratam* und *bhárata*, sondern auch eine dritte pers. dual. *bháratâm* = gr.
φερέταν für den conjunktiv imperfecti nicht zu belegen ist.
Da nun *bháratam* und *bhárata* sicher ursprünglich zum conjunktive imperfecti gehörten, so ist es wahrscheinlich, dass
auch *bháratâm* von diesem modus losgerissen und ganz zum
imperative gezogen war.

Ich wage also nicht, auf grund der gleichung *bháratâm*
= φερέτων ein ursprachliches *bháretōm* anzusetzen. Zudem
ist das griechische φερέτων äusserst spärlich bezeugt. Cur-

tius, Verb. II², 67 führt als die einzigen sicheren belege
κομείτων Θ 109 und διαφερέτων Maxim. Tyr. 20, 1 an. Dass
eine kürzere form auf -τον daneben lag, erwähnte ich bereits.

2. Die sogenannte starke form der 2. sg. und die 3. sg.
bhéretôt ist wahrscheinlich der ablativ des verbalnomens *bhe-
retós, bheretôn* „es soll getragen werden".

3. Die altgriechische, speciell homerische endung der
3. plur. -ντων ist eigentlich eine medialendung und entspricht
als solche genau dem arischen *-ntâm* und gotischen *-ndau*.
Das gemeingriechische φερόντω ist identisch mit altlatein.
feruntôd (muniuntôd hergestellt von Bergk in einem zwölf-
tafelgesetze). Möglicherweise ist die form *bhérontôd* eine
analogiebildung nach der 3. sg. *bhéretôd*. Das aeolische
φέροντον ist zweifellos aus φερόντων verkürzt. Hervorgerufen
wurde die kürzung durch die aeolische — besonders im imperative leicht begreifliche - sitte, den accent soweit wie möglich vom wortende zurückzuziehen.

4. Dafür, dass die indischen formen *bháratu* und *bhárantu* der ursprache angehörten, lässt sich ein argument
anführen. Wie ich bereits erwähnte, endigt im Altbulgarischen die 3. sg. ind. praes. auf -tŭ, die 3. plur. ind. praes.
auf *-ntŭ*. Da wir nun gesehen haben, dass auch im Gotischen
imperativendungen auf den indikativ übergegangen sind, so
ist es wenigstens denkbar, dass die endungen *-tŭ* und *-ntŭ*
im Altbulgarischen ursprünglich zum imperative gehörten und
von hier aus in den indikativ eindrangen.

Anders Jagić im Archiv f. slav. philologie II, 240 ff. Er
leitet die altbulgarischen endungen *-tŭ, -ntŭ* aus den speciell
russischen formen *-tĭ, -ntĭ* ab.

5. Neben der sogenannten schwachen form *bhérete* hat
es — entsprechend der 2. sg. *bhéretôt* — eine stärkere form
gegeben. Im Indischen endigt sie auf *-tât: bháratât*, im
Lateinischen auf *-tôte: legitôte*. Für das Indische ist sie freilich nicht aus dem R.-V., sondern nur aus den Brahmana's
zu belegen. *bháratât* „ihr sollt tragen" deckt sich lautlich
mit der 2. sg. *bháratât* „du sollst tragen", während das
Lateinische die 2. sg. *legito* durch die pluralendung *-te (legi-te,
legito-te)* erweitert zu haben scheint. Die verschiedenheit der

lateinischen und iudischen bildungsweise spricht nicht dafür, dass diese form bereits der ursprache angehörte.

6. Bei einer darstellung der ursprachlichen form des imperativs müssen wir die ursprünglich imperativischen und die dem conjunktive imperfecti entlehnten formen aus einander halten:

Ursprachliche formen.

Wirklicher imper.	Entlehnte conjunktivformen	
	(mit kurzem themat. vokale)	(mit langem themat. vokale)
S. 2. *bhére* *bhéretōd*		
D. 2.	*bhéretom*	
P. 1.	*bhérome*	*bhérōme?*
2.	*bhérete.*	

7. Participium.

Ssk.	Griech.	Lat.	Got.
	Starker stamm.		
bhárant-	*φέροντ-*	Nur *eunt-*	*bairand-*
	Schwacher stamm.		
bhárat- (= *bharṇt-*)	—	*ferent* (= *ferṇt*).	—

Bemerkungen.

1. Der starke stamm war ursprachlich für den nominativ und accusativ, der schwache stamm für die übrigen casus des masculinums und neutrums bestimmt.

2. Das Sanskrit übertrug den schwachen stamm auch auf den nominativ sing. des neutrums: *bhárat*. Die veranlassung dazu war vermutlich der umstand, dass im Ssk. sonst der nominativ des masculinums *(bháran)* und neutrums gleichgelautet haben würden.

3. Das Griechische und Gotische haben den schwachen stamm ganz aufgegeben und dafür den starken in allen formen durchgeführt.

4. Umgekehrt hat das Lateinische den schwachen stamm

der obliquen schwachen casus auch auf den nominativ und accusativ übertragen: *ferens* statt *feruns*, *ferentem* statt *feruntem*. Im Lateinischen sind *en* und *em* die vertreter der tönenden nasale *ṇ* und *ṃ*, vgl. z. b.

Lat. *centum* = gr. *ἑ-κατόν* = ssk. *çatá* ≃ idg. *cṇtó-*.

Lat. *pedem* = gr. *πόδα* = ssk. *pádam* = idg. *pĕdṃ*, resp. *podṃ*.

Der starke participialstamm ist im Lateinischen nur von *eo* = idg. *eịo* erhalten und hier in allen casus — mit ausnahme des nominativs sing., der vom nichtthematischen praesens gebildet ist — durchgeführt: *euntis*, *euntem*, *euntes* u. s. w.

5. Das femininum wurde durch anfügung der endung -*ịa* an den starken stamm gebildet:

bhárantî = *φέροντ-ια*, daraus *φέρονσα*, *φέρουσα*.

Im Gotischen ist das ursprüngliche femininum, welches **bairandi* lauten müsste, verloren gegangen. Auch das alte masculinum ist nur in einigen substantivisch gebrauchten participien auf -*and* erhalten. In adjektivischer bedeutung ist das participium in die flexion des sogenannten schwachen adjektivums hinübergezogen: stämme *bairandan-*, *bairandein-*.

6. Das *d* in dem gotischen stamme *bairand* ist weicher verschlusslaut, welcher auf eine tönende spirans *đ* zurückgeht. Die form *bairanđ* steht nach dem Verner'schen gesetze für **bairanþ* = idg. *bhéront-*.

7. Das femininum ist auch im Lateinischen aufgegeben.

Ursprachliche flexion
des participiums praesentis:

Nom.	*bhéront-s*,	neutr. *bhéront*,	fem. *bhéront-ịa*
Gen.	*bherṇtós*		*bhéront-ịā-s*
Lok.	*bherṇtí*		*bhéront-ịa-i*
Acc.	*bhéront-ṃ*,	*bhéront*,	*bhéront-ịa-m*.

8. Infinitiv.

Veda	Griech.
1. *bháram*	*φέρειν*

Veda	Latein.
2. jîvâse	vivere.

Bemerkungen.

1 Die erstere form ist für die einfachen thematischen praesentia mit wurzelbetonung durch folgende vedische beispiele belegt: óham, námam, yámam, rábham, sádam.

2. Im Griechischen war φέρεν, wie ich De mixtis Graec. ling. dialectis p. 61 sq. ausgeführt habe, auf den südachaeischen dialekt beschränkt. Dass es mit aeol.-dor. φέρην und ion. φέρειν auf eine und dieselbe grundform zurückgehe, habe ich a. a. o. widerlegt. φέρεν ist vielmehr als die ursprüngliche form zu betrachten, aus welcher erst später durch nachträgliche dehnung φέρην und φέρειν (mit unechtem ει) hervorgegangen sind (vgl. rhod. δόμειν aus δόμεν). Der grund dieser dehnung bleibt vorläufig dunkel.

3. Leider lässt sich aus der gleichung jîvâse = latein. vivere nicht die ursprachliche form der endung mit sicherheit erschliessen. Wahrscheinlich war dieselbe -sai.

4. Die aeolische, besonders im Homer zahlreich vertretene endung -μεναι, welche sowohl thematische wie nichtthematische infinitive bildet, ist auch im Veda als -mane erhalten. Da indessen die vedischen formen bhár-mane und dhár-mane ohne thematischen vokal erscheinen und sonst nur noch im R.-V. vid-máne, trá-mane und dá-mane (gr. δό-μεναι) überliefert sind, so wird die endung -menai ursprünglich sehr wahrscheinlich auf die nichtthematische flexion beschränkt gewesen sein.

Mit sicherheit lässt sich also der ursprache nur

bhéren

und mit wahrscheinlichkeit noch

bhéresai (medium?)

zuweisen.

§ 6.

Medium.

Das medium ist erhalten im Indischen, Eranischen, Griechischen und Germanischen. Freilich weist von den germanischen dialekten nur das Gotische ein ziemlich vollständiges medium auf.

1. Indikativ praesentis.

	Ssk.	Zd.	Altpers.	Griech.	Got.	Altn.
S. 1.	*bháre*	*bairê*	*darshaiy*	φέρομαι	—	*haite*
2.	*bhárase*	*baruhê*	—	φέρε(σ)αι	*bairaza*	—
	gewöhnl. *barañhê*				(= *bairazai*)	
3.	*bháre*	*baraitê*	*gaubataiy*	φέρεται	*bairada*	—
	und *bhárate*	und *barê*			(= *bairadai*)	
D. 1.	*bhárávahe*	—	—	φερόμεθον	—	—
2.	*bhárethe*	—	—	φέρεσθον	—	—
3.	*bhárete*	*baróithê*	—	φέρεσθον	—	—
P. 1.	*bhárâmahe*	*baramaidê*	—	φερόμεθα *bairanda*	—	
				φερόμεσθα		
2.	*bháradhve*	—	—	φέρεσθε	—	—
3.	*bhárante*	*bhareñtê*	—	φέρονται *bairanda*	—	
				(= *bairandai*).		

Bemerkungen.

1. Das griechische φέρομαι ist im verhältnis zum arischen *bháre* eine erweiterte und somit nicht die ursprüngliche form der ersten person.

Diese ergiebt sich vielmehr aus der zuerst von Sievers in Paul-Braune's Beitr. VI, 561 aufgestellten gleichung von ssk. *bháre* = an. *haite, haiti* „ich werde genannt, heisse". Das altnordische *haite*, welches auf runeninschriften überliefert ist, geht auf älteres **haitê* und dies wiederum auf urgermanisches **haitai* zurück.

Um zu bestimmen, ob der auslautende diphthong dieser form einem idg. *ăi* oder *ŏi* entspricht, müssen wir uns daran erinnern, dass die dritte sg. urar. *bháre*, welche für unsere klasse durch die vedischen formen *joshe, toçé, mahe, çáye, séve* und *stáre* und im Avesta durch die formen *ghnê, içê, mruyê* belegt ist, sich mit der griechischen aktivform φέρει deckt. Da nun die 1. sg. im thematischen praesens sich von der 2. und 3. sg. dadurch unterschied, dass sie *ŏ* zum thematischen vokale hatte, so ist die 1. sg. ar. *bháre*, altn. *haite* zweifellos als **bhéroi*, **haitoi* aufzulösen.

2. Für die 3. sg. müssen wir 2 ursprachliche formen ansetzen, eine ältere *bhérei*, gewonnen durch die gleichung ar. *bháre* = gr. *φέρει*, und eine jüngere mit der endung *-tai* gebildete: *bhéretai*.

3. Die gotischen formen *bairaza*, *bairada* (das *d* ist hier nach voraufgehendem vokale noch als tönende spirans *đ* aufzufassen) und *bairanda* (*d* nach *n* ist bereits weicher verschlusslaut) sind nach dem Verner'schen gesetze aus **bairasai*, **bairaþai* und **bairanþai* (= idg. *bhérosai, bhérotai, bhérontai*) entstanden. Dass in diesen formen als thematischer vokal *a* (= *ŏ*) erscheint, wird man auf die verlorene (im Altn noch erhaltene) 1. sg. **baira* = **bairai* zurückzuführen haben. Sonst könnte auch die 3. plur. *bairanda* massgebend gewesen sein.

4. Im Gotischen wird die 3. sg. zugleich als 1. sg. gebraucht. Ebenso ist die angelsächsische form *hátte* „ich werde genannt" (= got. *haitada*) eigentlich die 3. sg. Der grund, weshalb die 1. sg. im Gotischen unterging, besteht darin, dass dieselbe mit der 1. sg des activums zusammenfiel: sowohl aus idg. *bhérō* wie aus idg. *bhéroi* musste nach gotischen auslautsgesetzen *baira* werden.

Weshalb gerade die 3. sg. zugleich als 1. sg. verwandt wurde, siehe unter nr. 5.

5. Dass *bairanda* die regelrechte form der ersten plur. ist, hat Baunack erkannt. Aus einer combination der arischen form *bhárá-mahe* und der griechischen form *φερό-μεϑα* (mit sekundärer endung) ergiebt sich als älteste gestalt der primären endung *-medhai*. Ein idg. *bhéro-medhai* musste im Germanischen zunächst zu **bera-međai*, dann weiter zu **bera-mđa, bera-nđa* und endlich speciell im Gotischen zu *bairanda* werden.

Eine folge dieses lautlichen zusammenfallens der 1. und 3. plur. war es nun, dass auch die 3. sg. für die verloren gegangene 1. sg. eintrat, ein faktum, das sonst jeder erklärung entbehren würde.

6. Wenn sich so mit grosser wahrscheinlichkeit die endung *-medhai* für die 1. plur. als ursprachlich ansetzen lässt, so ist zweifellos auch das arische *-vahe* = idg. *-vedhai* die ursprüngliche gestalt der endung für die 1. dual. (vgl. im

aktiv -*mes* und -*ves*). Das griechische -*με&ον*, welches nur
dreimal überliefert ist (Ψ 485, Soph. Elektra 950, Philoctet
1079) wird mit recht von Elmsley und Nauck der lebendigen sprache ganz abgesprochen. Es ist eine jüngere bildung, welche von dem -*με&α* des plurals ausgegangen ist.

7. Ob die dehnung des thematischen vokales in den
formen *bhárávahe* und *bhárámahe* speciell arisch oder ursprachlich war, ist nicht zu entscheiden.

8. Die ursprachliche endung der 2. und 3. dual. lässt
sich nicht ermitteln. Die indischen formen *bhárethe* und *bhá-
rete* sind wahrscheinlich von der singularform *bháre* (1. und
3. sg.) aus mit den endungen -*the* und -*te* gebildet, ebenso
wie das griechische *λέγει-ς* auf *λέγει* zurückgeht.

Das griechische *φέρεσθον* hat man wohl nicht mit unrecht
mit ssk. *bháradhvam* (2. plur. imper.) und *ábharadhvam* (2.
plur. imperft.) verglichen. Die endung -*σθον* würde dann
eine — vorläufig nicht näher zu erklärende — weiterbildung
von -*θον* = ssk. -*dhvam* sein. Die gleiche übertragung einer
sekundären endung auf den indikativ praes. hatten wir in der
2. dual. act. *φέρετον*.

9. Das homerische *φερόμεσθα* ist sicher eine analogiebildung. Nur lässt sich ihr ausgangspunkt nicht mit sicherheit bestimmen. Entweder ist das *σ* aus den formen *φέρεσθον*,
φέρεσθε auf *φερόμεθα* übertragen oder das verhältnis von
primär *φέρομες* zu sekundär *ἐφέρομεν* war die veranlassung,
dass zu *ἐφερόμεθα* ein primäres *φερόμεσ-θα* gebildet wurde.

10. Die endung -*μεθα* ist sekundäre endung und entspricht dem indischen -*mahi*.

11. Die endung der 2. plur. ist für die ursprache nicht
zu bestimmen. Da alle primären endungen des mediums mit
i schliessen, so verdient das indische -*dhve* (= -*dhväi*) an
sich den vorzug. Da ferner das griechische -*σθε* sich zu der
dualendung -*σθον* genau so verhält wie im aktive -*τε* zu -*τον*,
so liegt die vermutung sehr nahe, dass -*σθε* = ursprachl.
-*dhve* (ohne *s*) die sekundäre endung war. Freilich erscheint
diese im Arischen als -*dhvam*. Eine lösung der frage ist für
jetzt unmöglich.

12. Zum schlusse stelle ich noch einmal die sich deckenden formen zusammen:

S. 1. Ssk. *bháre* = zd. *bairê* = au. *haite*.
   2. Ssk. *bhárase* = zd. *barahe, baranhe* = griech. *φέ-
      ρε(σ)αι* = got. *bairaza*.
   3. Aelter ssk. *bháre* = griech. *φέρει*.
     Jünger ssk. *bhárate* = zd. *baraitê* = griech. *φέρεται*
     = got. *bairada* = ags. *hátte*.

P. 3. Ssk. *bhárante* = zd. *barentê* = griech. *φέρονται* =
     got. *bairanda*.

Da ferner die 1. dual. und 1. plur., durch die wahrscheinlich richtige gleichung got. *bairanda* = gr. *φερόμεϑα* im thematischen vokale und durch die gleichung got. *bairanda* = ssk.
bhárâmahe in der endung bestimmt sind, so ergiebt sich als

Ursprachliches paradigma.

S. 1. *bhéroi*   2. *bhéresai*   3. älter *bhérei*
                                      jünger *bhéretai*

D. 1. *bhérovedhai*   2. und 3. unbestimmt.

P. 1. *bhéromedhai*   2. unbestimmt.   3. *bhérontai*.

2. Conjunktiv praesentis.

Der conjunktiv ist nur im Arischen und Griechischen
nachzuweisen:

	Ssk.	Zd.	Griech.
S. 1.	*bhárâi*	*barâi*	*φέρωμαι*
2.	*bhárâse*	*baráonhê*	*φέρη(σ)αι*
3.	*bhárâte*	*baraitê*	*φέρηται*
D. 1.	*bhárâvahâi*	—	—
2.	*bhárâithe*	—	*φέρησϑον*
3.	*bhárâite*	—	*φέρησϑον*
P. 1.	*bhárâmahâi*	*barámaidhê*	*φερώμεϑα*
2.	*bhárâdhvâi*	—	*φέρησϑε*
3.	*bhárântâi*	*báráontê*	*φέρωνται*.

Bemerkungen.

1. Die zweite dual. *(bhárâithe)* kommt in dieser klasse
zufällig im R.-V. nicht vor. Für die dritte dual. giebt es nur

ein beispiel *yátáite.* Die 2. und 3. plur. endlich sind aus dem R.-V. gar nicht zu belegen.

2. Das charakteristikum des conjunktivs besteht in der dehnung des thematischen vokales. Da dieser in der 1. dualis und pluralis bereits im arischen indikative gedehnt erschien, so dehnte man in diesen formen den vokal der endung: *rahái* für *vahe, mahái* für *mahe.* Indessen findet sich im conjunktive noch häufig die endung -*mahe* (z. b. *iļá-mahe* neben *iļá-mahái*), so dass in diesem falle indikativ und conjunktiv nicht von einander zu unterscheiden sind.

3. Von -*mahái* und -*rahái* aus ist die dehnung auch auf -*dhvái* (für *dhve*) und -*ntái* (für *nte*) übertragen, obwohl sie in diesen formen unnötig war. Ja, sogar für die dehnung der singularendung -*te* bietet der R.-V. ein beispiel *yajátái.*

4. Im übrigen gilt von den endungen das zum indikative bemerkte:

Ursprachliches paradigma.

S. 1. *bhéröi*   2. *bhérēsai*   3. *bhérētai*
                                      (als *bhérēi* nur noch
                                        in φέρῃι erhalten)

D. 1. *bhérövedhai*   2. und 3. unbestimmt.
P. 1. *bhérömedhai*   2. unbestimmt.   3. *bhéröntai.*

3. Indikativ imperfecti.

	Ssk.	Zd.	Altpers.	Griech.
S. 1.	*ábhare*	—	*ábaraiy*	ἐφερόμᾱν
2.	*ábharathâs*	[*viçaṅha*]	—	ἐφέρε(σ)ο
3.	*ábharata*	*barata*	*ábaratā*	ἐφέρετο
D. 1.	*ábharâvahi*	—	—	—
2.	*ábharethâm*	—	—	ἐφέρεσθον
3.	*ábharetâm*	—	—	ἐφερέσθᾱν
P. 1.	*ábharâmahi*	—	—	ἐφερόμεθα
2.	*ábharadhvam*	*baradâm?*	—	ἐφέρεσθε
3.	*ábharanta*	*bareñta*	—	ἐφέροντο.

Bemerkungen.

1. Die 1. pers. sing. ist auf den altpersischen keilinschriften nur einmal belegt: *ham-atakhshaiy* „ich habe erwirkt" Bh. I, 70. Die urarische form *ábharāi ist wohl als *ébheroi* zu deuten. Wie die ursprachliche form der 1. sing. gelautet hat, lässt sich nicht bestimmen. Dasselbe gilt von der 2. und 3. pers. dual. und der 2. pers. plur.

2. Dass nicht das indische *-thâs,* sondern das griechische *-σο* die ursprachliche endung der 2. sing. war, wird durch das Zd. bewiesen, welches *-ṅha* = idg. *-so* zur endung hat. Zufällig ist dieselbe nicht für den ind. imperft. der 1. klasse zu belegen, dagegen für den conj. imperft. und den optativ (siehe dort).

3. Die dehnung der endungen der 3. sing. u. plur. war aufs Eranische beschränkt. Auf den keilinschriften sind nur formen auf *-tâ* überliefert, im Zend steht *barata* neben *varatâ.* Im plural ist *-ṅtâ* als sekundäre endung auf den keilinschriften im aoriste nachweisbar *(ak'utâ),* im Zd. überwiegt *-ṅta* (neben *-ṅtâ).*

4. Das sekundäre *-mahi* entspricht genau dem griechischen *-μεθα.* Dem *-vahi* würde ein **-ϝεθα* entsprechen.

5. Die form *baradům ist deshalb unsicher, weil in dem einzigen beispiele, welches für diese klasse sich findet, der thematische vokal ganz ausgefallen ist: *thwarôzhdům* für *thwarôç-dům zu *thewereçámi.*

6. Die sich deckenden formen sind sehr wenige:
S. 2. Zd. *baraṅha* = griech. ἐφέρε(σ)ο.
 3. Ssk. *ábharata* = zd. *barata* = griech. ἐφέρετο.
P. 3. Ssk. *ábharanta* = zd. *bareṅta* = griech. ἐφέροντο.

Dazu kommen — abgesehen von dem thematischen vokale — die 1. plur. und die 1. dual.

Ursprachliche formen.

S. 2. *bhéreso, ébhereso*   3. *bhéreto, ébhereto.*

D. 1. *bhér*$\genfrac{}{}{0pt}{}{|\bar{o}|}{|o|}$*vedha, ébher*$\genfrac{}{}{0pt}{}{|\bar{o}|}{|o|}$*vedha.*

P. 1. $bhér_{|o|}^{|ō|}medha$, $ébher_{|o|}^{|ō|}medha$.

3. $bhéronto$, $ébhéronto$.

---

4. Conjunktiv imperfecti.

Nur in wenigen resten erhalten. Dem activum nach zu schliessen hat es für den conjunktiv imperfecti ursprünglich 2 formen gegeben, von denen die erste sich durch das fehlen des augmentes und die dehnung des thematischen vokales, die zweite nur durch das fehlen des augmentes vom indikative unterschied.

Die erstere klasse ist nur zu belegen aus dem Avesta durch die beiden formen *verenâtâ* und *mainyâtâ*.

Die zweite klasse zählt mehr beispiele.

Besonders wichtig ist die 2. pers. sg. Sie ist sowohl im Veda *(bâdhathâs)*, wie im Avesta erhalten: *a-yaçaṅha* „nimm, suche" yt. 24, 9 (von *iç*), *yathâ ayaṅhâ* „als du kamest" yt. 30, 7 u. a.

Wie in dem ersten dieser beispiele der conjunktiv imperfecti ganz im sinne eines imperativs steht, so ist auch griech. φέρεο „trage" eigentlich ein conjunktiv imperfecti. Man hat φέρεο, φέρου auch aus *φέρε-σ/ο = ssk. *bhára-sva*, zd. *baraṅha* ableiten und somit als echte imperativform auffassen wollen. Dazu müsste aber erst an sicheren beispielen gezeigt werden, dass intervokalisches *sv* im Griechischen spurlos ausfällt. *ióç* = ar. *ishus* „pfeil" beweist nichts, vgl. Brugmann, Grundr. I, 421. Andererseits haben freilich diejenigen beispiele, welche Brugmann a. a. o. für den wandel von σ/ in σσ anführt, nämlich *íσσος* = cret. *fíσfος* und arcad. *ἥμισσος* = *ἥμισfος* längst eine andere und zweifellos richtigere deutung erfahren.

Zahlreich sind im R.-V. die beispiele für die 3. pers. sg. und plural, z. b.

bhárata, rócata, várdhata u. a.

bháranta, námanta, várdhanta u. a.

Im Griechischen gehören endlich — ausser φέρεο — die imperativformen φέρεσθον, φέρεσθε eigentlich zum conjunktiv imperfecti.

Aus einer combination des conjuuktivs imperfecti activi und des indikativs imperfecti medii werden sich folgende formen als ursprachliche ansetzen lassen:

I.

S. 2. *bhḗrēso* 3. *bhḗrēto* (im Zd. überliefert)
D. 1. *bhḗrōvedha*
P. 1. *bhḗrōmedha* 3. *bhḗrōnto.*

II.

S. 2. *bhḗreso* (im Zd. und Griech. überliefert)
3. *bhḗreto* (im Veda überliefert)

D. 1. $bh\acute{e}r_{|o\backslash}^{|\bar{o}|}vedha$

P. 1. $bh\acute{e}r_{|o\backslash}^{|\bar{o}|}medha$ 3. *bhḗronto* (im Veda überl.).

_____

5. Optativ.

	Ssk.	Zd.	Griech.	Got.
S. 1.	*bháreya*	—	φερο-ί-μᾱν	—
	(= *bhara-i̯-a*)			
2.	*bhárethās*	*bharaêsa*	φέρο-ι-(σ)ο	*bairaizau*
3.	*bháreta*	*bharaêta*	φέρο-ι-το	*bairaidau*
D. 1.	*bhárerahi*	—	—	—
2.	*bháreyathām*	—	φέρο-ι-σϑον	—
3.	*bháreyatām*	—	φερο-ί-σϑᾱν	—
P. 1.	*bháremahi*	*barôimaidê*	φερο-ί-μεϑα	*bairaindau*
2.	*bháredhram*	*barôidhrem*	φέρο-ι-σϑε	—
3.	*bhárerau*	*barayañta*	φέρο-ι-ντο	*bairaindau*
Ved.	*bhárerata.*			

Bemerkungen.

1. Das indische *bháreya* steht wohl für idg. *bhéro-i̯-o.* Diese form ist auch wahrscheinlich die ursprachliche gewesen, beweisen lässt sich das aber nicht.

2. Ueber die gotischen formen *-dau* und *-ndau* habe ich bereits p. 15 gesprochen. Sie sind eigentlich imperativendungen und identisch mit ssk. *-tām* (3. sg. *bháratām*) und *-ntām* (3. plur. *bhárantām*). Dass das arische *ā* einem idg. *ā*

entspricht, wird durch griech. φερόντων bewiesen. Das *d* in -*dau* ist tönende spirans *đ*, in -*ndau* bereits weicher verscblusslaut. *d* steht nach dem Verner'schen gesetze für *þ*. Das auslautende *au* ist aus offenem *ō* entstanden. Die endung -*zau* scheint eine durch formenausgleichung hervorgerufene analogiebildung zu sein.

3. Im Avesta trat gewöhnlich für die sekundäre endung -*maidi* die primäre *maidê* ein. Ein sicheres beispiel für die sekundäre endung ist *mainimaidi* (nach der nichtthematischen weise gebildet), bei dem nichtthematischen *vairimaidi* und dem thematischen *râurôimaidi* schwanken die handschriften zwischen *maidi* und *maidê*. Nur mit der primären endung sind überliefert *raênôimaidê* und *bâidhyôimaidhê*.

4. Für die 2. und 3. dual. und die 2. plur. ist eine wiederherstellung für die ursprache nicht möglich.

5. Die endung -*ran* in der 3. plur. ist für die thematischen verba im Veda gar nicht zu belegen. Ueberliefert ist nur *dadîran*. Die thematischen verba haben vielmehr die gewöhnliche sekundäre endung -*nta*, schieben aber vor dieselbe ein -*r*- ein: *bharerata* (1 mal) und *jusherata* (2 mal) für *bhare-r-ṇta*, *jushe-r-ṇta*.

Die 3. plur. ist für das Avesta durch folgende beispiele belegt: *pair-ishayañta* sie sollen sich umsehen (praes. *ishaitî*), *yazayañta* sie sollen opfern und *yêdhi yazayañta* wenn sie opferten (praes. *yazaitê*), *guzayañta* (praes. *gaozaiti*), *maêzayañta* sie sollen harnen (praes. *maêzaiti*).

Ob das avestische *barayañta* oder das griechische φέροιντο die ursprachliche form der 3. plur. gewesen ist, lässt sich nicht entscheiden. Die grössere wahrscheinlichkeit besitzt die avestische form. Dem avestischen *barayañta* entspricht im activum *barayen* (aus *barayan*). Dieses *barayen* aber ist identisch mit griech. φέροιεν. Wir mussten also eine ursprachliche form *bhéroien* ansetzen. Wie wir nun sahen, dass dialektisch im Griechischen neben φέροιεν ein — nach den übrigen formen gebildetes — φέροιρ auftritt, so wäre es auch denkbar, dass die idg. grundform des mediums *bheroiento*, erhalten in av. *barayañta*, im Griechischen durch eine von den übrigen formen ausgehende neubildung φέροιντο ersetzt wurde.

3

Ursprachliche formen.

S. 2. *bhéroiso*   3. *bhéroito*
D. 1. *bhéroiredha*   P. 1. *bhéroimedhu.*

6. Imperativ.

	Ssk.	Zd.	Griech.	Got.
S. 2.	*bhárasra*	*baranuha*	[φέρεο]	—
		(= *bara-ñhva*)		
3.	*bháratâm*	*baratâm*	φερέσϑω	*bairadau*
D. 2.	[*bhárethâm*]	--	[φέρεσϑον]	—
3.	[*bháretâm*]	—	φερέσϑων	--
P. 2.	[*bháradhram*]	[*-dâm*]	[φέρεσϑε]	—
3.	*bhárantâm*	*bareñtâm*	φερέσϑων	*bairandau.*

Bemerkungen.

1. Die avestische endung *-ñuha* ist aus *-ñhva = urar.
-sva hervorgegangen. Die 3. sg. ist im Avesta belegt durch
verezyatâm, die 3. plur. durch *jaçeñtâm* „sie mögen kommen".

2. Die eigentliche endung der 2. sing. scheint *-svo* gewesen zu sein. Sie ist nur im Arischen erhalten. Das
griechische φέρεο ist, wie ich pag. 31 ausgeführt habe, nicht
aus φέρε-σϳο entstanden, sondern aus φέρε-σο = av. *bara-ñha*,
es ist somit ebenso wie φέρεσϑον, φέρεσϑε eigentlich conjunktiv imperfecti.

3. Wirkliche imperativformen sind nur die 2. und 3. sing.
und die 3. plur. Die 3. plur. ist im Griechischen auch als
3. dual. verwendet.

4. Die endungen der 3. sing. *-tâm* und 3. plur. *-ntâm*
haben mit den griechischen endungen *-σϑω* und *-σϑων* nichts
zu thun. Die ursprachlichen endungen waren jedenfalls *-tōm*
und *-ntōm*, wie die übereinstimmung des Arischen und Gotischen beweist. Die endung *-ntōm* ist auch im Griechischen
erhalten, freilich als aktivendung in φερό-ντων, wie die 3. plur.
regelmässig bei Homer lautet. Dass φερόντων durch „plura-
lisierung" aus φερόντω entstanden sei, ist deshalb falsch, weil
-ντων gerade die ältere form (auch in Attika) war. Vielmehr

scheint umgekehrt die mediale form $\varphi\varepsilon\varrho\acute{o}$-$\nu\tau\omega\nu$ dadurch, dass sie zum activum gezogen wurde und so in beziehung zu $\varphi\varepsilon\varrho\acute{\varepsilon}$-$\tau\omega(\tau)$ trat, in $\varphi\varepsilon\varrho\acute{o}\nu\tau\omega(\tau)$ umgewandelt zu sein (vgl. p. 21).

Ursprachliche formen.

S. 2. *bhére-sro?*   3. *bhére-tōm*

P. 3. *bhéro-ntōm.*

---

7. Participium.

Ssk.	Zd.	Griech.
	1. Starker stamm.	
bhára-mâna-	*bare-mana-*	$\varphi\varepsilon\varrho\acute{o}$-$\mu\varepsilon\nu o$-.
	2. Schwacher stamm.	
—	*bare-mna-.*	—

Bemerkungen.

1. Die dehnung der endung -*mâna* war speciell indisch. Es wäre verkehrt, wollten wir aus ihr eine dreifache stammabstufung *mâna, mana, mna* erschliessen.

2. Das Indische und Griechische haben den schwachen stamm ganz aufgegeben. Im Griechischen findet er sich nur noch in nominalbildungen wie $\beta\acute{\varepsilon}\lambda\varepsilon$-$\mu\nu o$-$\nu$ „das geworfene, das geschoss".

3. Sehr hübsch ist die vermutung Schleicher's, dass das lateinische *ferimini* 2. plur. gleich einem gr. $\varphi\varepsilon\varrho\acute{o}\mu\varepsilon\nu o\iota$ sei und eigentlich „ihr, die tragenden" bedeute.

4. Sonst ist die schwache wie die starke endung im Lateinischen nur in nominal gebrauchten participien erhalten: *fē-mina, alu-mnu-s.*

Ursprachliche form der beiden stämme.

1. *bhéro-meno-*   2. *bhéro-mno-.*

---

8. Infinitiv.

Ssk.	Zd.	Griech.
bháradhyâi	*baraidyâi*	$\varphi\acute{\varepsilon}\varrho\varepsilon\sigma\vartheta\alpha\iota.$

3*

Den arischen formen nach müssen wir als indogermanische grundform

bhére-dhyāi (oder bhére-dhyai?)

ansetzen.

Aus -dhyāi musste im Griechischen zunächst -θθαι (vgl.
hyás = χθίς, çycna = ἰ-κτῖνος) und weiter -σθαι werden.

Die stämme der thematischen praesentia.

Wenn ich im folgenden eine zusammenstellung derjenigen
thematischen praesentia gebe, welche nach einem der in § 3
aufgeführten typen gebildet sind, so muss ich von vornherein
bemerken, dass ich nur diejenigen praesensstämme als ursprachliche auffasse, welche zugleich im Arischen und im Europäischen zu belegen sind.

§ 7.

I. Der wurzeltypus erscheint rein und ohne erweiterungen.

1. Der accent ruht auf der stammsilbe.

**a) Der vokal der stammsilbe ist hochtoniges
kurzes e.**

Typus bhére, bhéro.

Der stammvokal erscheint im Arischen als a, in allen
europäischen sprachen als e. Das Gotische verwandelt e in
i, welches vor r und h als ai erscheint.

Diese klasse besass ursprachlich den grössten umfang:

kʹélo gehen, sich bewegen.
Ved. cárāmi, gr. πέλω, πέλομαι.

kʹyévo erregen.
Ved. cyávam (1. sing. conj. imperft.), cyavante, cyavanta
schwanken, sich regen, erschüttern. Griech. σέϝω, daraus
aeol. σεύω.

g'émo kommen, gehen.
Ved. gámati, zd. jamaiti, got. qiman.

g'éro rauschen, tosen.
Ved. járate ertönen, ahd. quëran seufzen.

g'éro herbeikommen.
Ved. jar sich nahen, járethám (2. dual. imperativi), jarethe
(2. dual.), jarante, jarasra, járamáqam. Der griechische
aoristus à-γέρoντo ist eigentlich imperfectum zu einem praesens à-γέρομαι.

g'elo quelle.
Ssk. gálati herabträufeln, abfallen, arkad. κάζελε. Die
doppelconsonanz in δέλλω = ahd. quëllan ist noch nicht erklärt. Sind diese praesentia vielleicht intensiv-bildungen?

glézho wettspielen, einstehen für.
Ssk. glíhate würfeln, as. plegan einstehen für, ags. plegan,
ahd. pflekan.

g'héno schlagen, treiben; abschlagen.
Im Indischen und Altpersischen gehört das verbum den
nichtthematischen praesentibus an: g'hénmi. Im Zend dagegen
sind viele thematische praesensformen belegt: janat 3. sing.
impf., janát 3. sing. impf. conj., ava-janaëta 3. sing. opt. med.,
ni-janáitê 3. sing. med. praes. conj., paiti-janaiti 3. sing.
praes. ind.
Altb. ženq ich treibe, lit. genù, genëti behauen, die äste
beschneiden (vgl. ved. vi-hun vrkshán).
Altir. benim „ferio".
Griech. θένω, θένων Theocr. XXII, 66 imperat. θένε.
Das imperfectum έθενον wurde zum aorist gestempelt und
deshalb ein neues praesens θεν-ω = θείνω gebildet.

elévo hören.
Altb. slorq (für *slerq) ich heisse = gr. κλέϝομαι. Im
Ssk. ist der praesensstamm in çráva-na „das hören" erhalten.

cvéso schnaufen.
Ssk. çvásati (daneben çvásiti) schnaufen, schnauben. Lat.
queror, ags. hreosan schnaufen, schwer athmen (entstanden aus
*hvesan).

z é n o erzeugen, med. entstehen.

Ved. *jánámi*, impf. *ájanas, ajanat, ajanan, ajananta* (= ἐγένοντο), part. *jánat* (schwacher stamm = **jaunt*), *jánamâna* (= γενόμενος). Im Griechischen ist das imperfectum ἐγενό-μην zum aorist geworden und deshalb ein neues redupliciertes praesens gebildet: γί-γνο-μαι = lat. *gi-gno.*

z é r o alteren.

Ved. *járanti, járutam* (2. dual. imptv.), *jaranta,* part. *járant-* = gr. γέροντ-, γέρων „der greis".

z h é r o rufen.

Ved. *hárate, háraute, haranta* (conj. impf.) rufen, anrufen. Altb. *zorq* (= **zevq*), inf. *züvati* (= **zvati*) rufen.

t é k o laufen, fliessen.

Ssk. *tákati* (daneben *tákti* R.-V. 728, 1). Altb. *tekq, tešti,* lit. *tekù, tekéti* laufen, fliessen.

t é k s o fertigen, zimmern.

Ved. *tákshati,* lat. *texit, texere.* Daneben hat im Europäischen ein *jot*-praesens gelegen: altb. *tešq* „bauen", gr. τέκτων, part., welches nur aus **teksjôn* zu erklären ist. Aus **teksjq* wurde im Altbulg. zunächst **tesjq* (vgl. altb. *osî* „achse" = lat. *axis,* ar. *ákshas*), aus **tesjq* weiter **techjq,* aus *ch+j* lautgesetzlich *š: tešq,* vgl. *dûša* „seele" aus **dûchja*).

t é r o durchbohren.

Ved. *tárati,* mit *vi* „durchdringen, durcheilen". Altbulg. schwach *tirq* reiben, lat. *tero* reiben. Die ursprüngliche bedeutung ist im Ssk. in den von *tar* abgeleiteten stämmen *tard* „durchbohren" und *tarh* „zermalmen, zerquetschen" erhalten.

t é r g o erschrecken, schelten.

Ssk. *tárjati* erschrecken, drohen, schmähen. Au. *þjarka,* durch *a*-brechung aus **þerka* entstanden.

t é r p o sättigen, erfreuen.

Ssk. *tarp* satt werden, befriedigt werden. Belegt ist *tárpanti* M. Bh. XIV, 1040. Griech. τέρπω ich sättige, erfreue.

t r é s o zittern, erbeben.

Ved. *trásanti* zittern. Griech. τρέ(σ)ω. Im Litauischen

wurde das praesens vom schwachen stamme *trs-*: *triszù* =
*trsù und im Altbulg. ebenfalls vom schwachen stamme, aber
mit nasalverstärkung gebildet: *tręsǫ* = **tr-n-sǫ*.

trépo wenden.
Ssk *trápate* sich schämen = sich abwenden.
Gr. *τρέπω, ἐντρέπω* beschämen, lat. *trepit* = *vertit*.

dérco sehen.
Griech. *δέρκομαι*. Im Indischen ist der praesensstamm
nur erhalten in ved. *darça-tá* sichtbar, vgl. gr. *δυσ-δέρκε-τος*.

drémo laufen.
Ssk. *drámati*. Im Griechischen wurde das nach *ἔδραμον,*
δέδρομα vorauszusetzende **δρέμω* durch *τρέχω* ersetzt.

dhégho brennen.
Ved. *dáhati* brennen (für **dhághati*). Lit. *degù* brennen.

dhévo laufen, rinnen.
Ved. *dhavante* laufen, strömen. Griech. *θέjω* laufen.

dhrégho ziehen, streichen.
Ssk. *dhrájati* dahinziehen, mit *pra* vorwärts eilen. Aus
dem Veda sind belegt *adhrajan* (impft.) und *dhrájant-, dhrá-*
jat- (part.). Griech. *τρέχω*. In altnord. *draga*, ags. *dragan*
„ziehen" ist der perfektablaut aufs praesens übertragen.

péko ich koche.
Ved. *pácati*, altb. *pekǫ* kochen. Daneben lag bereits ursprachlich die form *pékjo* s. dort.

péto fliegen.
Ved. *pátati* fliegen = gr. *πέτομαι*.

péto fallen, anfallen.
Zd. *pataiti*, griech. *ἔπετον*, imperfekt zu einem verlorenen
*πέτω, lat. *peto* erstreben, sich werfen auf.
Sehr wahrscheinlich sind *péto* „fliegen" und *péto* „fallen" identisch.

pérdo furzen.
Ssk. *párdate*, griech. *πέρδεται*, ahd. *firzan*.

pléro schwimmen.

Ved. *plárate*, gr. πλέϝω, lat. *pluit* ⇒ **plevit*, altlat. *perplovere* = **perplerere*.

bhéro tragen, bringen.

Ved. *bhárati*, *bhárate*. Altbulg. *berą*, *bŭrati* (= **b⁻rati*) bringen. Gr. φέρω, φέρεται. Lat. *fero*. Got. *baíran*.

néço erreichen, gelangen wohin.

Ved. *náçati*, *náçate* erreichen, erlangen. Lit. *neszù*, *nèszti* = altb. *nesq*, *nesti* tragen, bringen.

némo zuneigen.

Ssk. *námati*, ved. *námate* sich jemandem zuneigen. Gr. νέμω zuteilen.

néso herzugehen.

Ved. *násate* liebevoll herangehen. Gr. νέ(σ)ομαι heimkehren, got. *nisan* in *ga-nisan* genesen, d. h. zur gesundheit zurückkehren, ags. *nesan*.

méntho drehen s. die nasal-praesentia § 10.

mérgo abwischen, reinigen.

Ssk. *márjati*, *márjate*, zd. *marezaiti*, impf. *marezat* (*marezu-* = urarisch **márza-*), gr. ἀ-μέργω. Im Ssk. erscheint gewöhnlich der schwache stamm *mrjá-*, *mrjáti*.

méldo erweichen.

Ssk. *márdati* zerdrücken und *mrádati* (ved. *mradá* 494, 3) mit *ri* mürbe machen, ags. *meltan* schmelzen.

mésgo untersinken.

Ved. *májjanti* 776, 21 untersinken (= **másjanti*), lat. *mergo*.

yéso gähren.

Ssk. *yásati* heiss werden, mit *pra* überwallen, gr. ζέ(σ)ω, ahd. *jësan*.

lékso hüten, schirmen.

Ved. *rákshati* hüten, schirmen. Gr. ἀ-λέξω.

léngho springen, s. die nasal-praesentia § 10.

vékso wachsen.

Zd. *vakhshaṭ* liess wachsen, *vakhsheñtē* 3. pers. plur. med., *vakhshañt* part.

Griech. *ἀ-ϝέξω, ἀ-ϝέξομαι.*

1. *rédho* führen, heimführen.

Zd. *vademnâ* der bräutigam d. i. der heimführende. Sonst nur das causativ. *râdhaya* „führen" belegt. Lit. *vedù* führen, heiraten. Altb. *redų* führen, ziehen.

2. *rédho* winden.

Zd. *vad* sich kleiden, belegt ist nur *fra-vadhemna* „bekleidet" yt. 5, 126. Got. *vidan*, ahd. *wetan* „binden".

vémo sich erbrechen.

Ssk. *vámati*, lat. *vomo* (für *vemo). Das Litauische bildet ein *jot*-praesens *vemiù.*

vérto drehen.

Ved. *vártati*, lat. *verto*, got. *vairþan* „werden".

vélo wickeln, verhüllen.

Ssk. *válati*, *válate* sich wenden, *várati*, ved. *várute* verhüllen, umthun, bedecken. Lit. *velù*, *vélti* wickeln.

véso weilen, wohnen.

Ssk. *vásati* weilen, wohnen. Got. *visan.*

vrékso wachsen.

Zd. *urvâkhshat* 3. sing. impft., wachsen, sich wohl befinden (*urv = vr*), got. *vrisqan* frucht bringen.

séko folgen.

Ved. *sácante*, gr. *ἕπονται.* Lit. *sekù.* Latein. *sequor.*

séngo s. die nasal-praesentia § 10.

sézho halten.

Ved. *sáhate* bewältigen, aushalten. Gr. *ἔχω, ἔχομαι.*

sédo sitzen.

Ved. *sádathas, sádatam, ásadas, ásadat, ásadan* sitzen. Got. *sitan.*

In den übrigen sprachen sind verschiedene praesensbildungen vertreten: lit. *sëdmi*, altbulg. *sędą* mit nasal, gr. *ἕζομαι = got. sitja* aus *sédjo.*

sépo betreiben, besorgen.

Ved. *sápati* dienen, gr. *ἕπω* in *ἀμφιέπω, ἐφέπω.*

42

séro beschützen.
Zd. *har, nisañharatû* 3. sing. imper. = umbr. *seritu* „er beschütze".

sérpo gleiten, kriechen.
Ved. *sárpati*, gr. ἕϱπω, lat. *serpo*.

sélo eilen, gleiten.
Ssk. *sálati, sárati*, lit. *selù* schleichen. Vom schwachen stamme mit *i* sind gebildet: ἄλλομαι = *s'ljómai, lat. *salio*.

sk'éndo schimmern, s. die nasal-praesentia § 10.

sk'élpo zurichten, ordnen.
Ved. *kalpasva* 170, 2. Sonst nur das intentiv *kalpaya*. Lit. *kerpù* scheeren. Mit schwachem vokale lat. *scalpo*.

sthégo bedecken.
Ssk. *sthágati* verhüllen, gr. στέγω, lat. *tego*.

sténo laut tönen, jammern.
Ssk. *stánati* donnern, brüllen. Griech. στένω jammern, klagen.

spéndo zittern machen, s. die nasal-praesentia § 10.

sméro gedenken.
Ssk. *smárati*, ved. *smárâthas*, griech. μέλομαι, μέλει μοι.

srévo fliessen.
Ved. *srávati* fliessen, strömen. Griech. ῥέϝω.

sréno tönen.
Ssk. *svánati* schallen, tosen. Lat. *sono* = *svono* aus *sveno* durch einfluss des *v*. *sonunt* bei Ennius und Accius, *resonit* bei Pacuvius und Accius, *sonère* bei Accius und Lucrez.

---

b) Der vokal der stammsilbe ist eine einfache länge.

Typus *clěmo, clěme.*

Dieser klasse gehören nur wenige ursprachliche praesentia an:

kǎso husten.
Ssk. *kǎsate* husten. Lit. *kósu, kósti* husten.

g'ivo leben.

Ved. *ji'ranti, ji'rati* leben, altbulg. *živŭ, žiti* leben, griech. *βίομαι = βίʃομαι,* lat. *vivo = *grivo.*

clē'mo ermüden, nachlassen.

Ssk. *klâmati,* lat. *clêmens,* part. praes.

ghrē'do tönen.

Ssk. *hrá'date* ertönen, got. *grêtan* weinen, klagen.

bhlē'ǧo leuchten.

Ved. *bhrâjate* leuchten, zd. *barâzaiti* yt. 10, 143. *barâzenti* yt. 5, 129. Ags. *blican.* Das germanische *blikan* verhält sich zu *blêkan* wie *rikan* zu *rêkan.* Die umwandlung des *ê* in *i* ist nach Fick in beiden fällen durch den *c*-laut bewirkt *(ê : eï : i).*

rē'dho sich befleissigen, zu stande bringen.

Ssk. *râ'dhati* zu stande bringen, gewinnen, got. *ga-rêdan* auf etwas bedacht sein, sich befleissigen. As. *râdau.*

rē'ǧo herrschen.

Ved. *râ'jati* herrschen, regieren, germ. *rikan* herrschen (vgl. oben *bhlē'ǧo*). Lat. *rēgo* „herrschen" (vgl. *rēges, rēgina*) ist mit *rēgo* „richten, strecken" = gr. *ỏ-ρέγω* zusammengefallen.

si'do sitzen.

Ssk. *si'dati* sitzen, lat. *sido.* Im Griechischen wird ein *jot*-praesens von der kurzen stammesform gebildet *ἵζω = sidiô.*

svā'do sich erfreuen, geniessen.

Ved. *svádate* geniessen, kosten, gefallen finden an. Gr. *ἅδομαι = *σϜάδομαι* (ion. *ἵδομαι*) sich freuen über.

Daneben vom kurzen stamme ssk. *svadati.*

c) Der vokal der stammsilbe ist ein diphthong.

α) Typus *bhéido, bhéide.*

Der diphthong erscheint im Ssk. als *e,* im Griechischen als *ει,* im Litauischen als *ë,* im Altbulgarischen als *i,* im Gotischen als *ei = ī.*

bhéido spalten.

Ved. *bhédati* 660, 10. 440, 1. *abhedam* impf. 854, 9.

Got. *beitan* beissen. Im Lateinischen der schwache stamm mit nasalverstärkung *fi-n-do*.

méizho harnen.

Ssk. *méhati*, lit. *mëžù*, im lateinischen vom schwachen stamme mit nasalverstärkung *mi-n-go*.

réikho aufreissen.

Ssk. *rékhati*, gr. *è-ǫeízω*, ahd. *rîhan* aufreihen.

véigo wanken, weichen.

Ssk. *réjate* wanken, weichen. An. *vikra, rîkja* bewegen, as. *wîkan wêk*, ahd. *wîchan* weichen.

séiko ausgiessen.

Ved. *sécate* ausgiessen 922, 1. Sonst stets *siñcáti*. Ahd. *sîhan* durchseihen.

snéigho schneien.

Zd. *çnaézhaiti (aê* = ssk. *ê*), gr. *veíqei (q* = *gh*), mhd. *snîwet*.

β) Typus *léudho, léudhe.*

Der diphthong erscheint im Ssk. als *o*, im Griechischen als *ɛv*, im Litauischen als *au*, im Altbulgarischeu als *ū*, im Gotischen als *iu*.

éuso brennen.

Ved. *óshati, óshas* (conj. imperft.). Griech. *ɛü(σ)ω*, latein. *ûro* = *euro.

zéuso kosten.

Ved. *jóshat* 167, 5, *jósha* 984, 2, *joshati* 931, 8, *joshat* 907, 7. Sonst im Ssk. nach der *tud*-klasse *jusháti*.

Griech. *yɛú(σ)ω, yɛú(σ)ομαι*, got. *kiusan* prüfen, erproben.

dhéugho taugen, ertrag geben.

Ved. *dóhate* 798, 18. 959, 7. 730, 5. *dohate* 134, 4. 702, 3. *dohat* 164, 28. *dohase* 398, 1. Sonst flektiert dieses verbum ebenso wie das vorhergehende nach der *tud*-klasse: *duháti*. Got. *diugan, nur erhalten in dem praesentisch gebrauchten perfectum *daug* = ags. *deáy*.

dhéudho aufregen, verwirren.

Nur in zwei formen erhalten: Ved. *dódhat* wild, tobend, gr. γα-ϑεῦϑον· ἐκ γῆς ῤέον. Ilesych.

bhéudho wachen; aufmerken, aufachten. Ved. *bódhati* aufmerken. Griech. πεύϑομαι. Got. *ana-biudan* befehlen, *faur-biudan* verbieten.

réudo schreien, weinen.

Ssk. *rúdati* (daneben *róditi*) weinen. Ags. *reótan*, ahd. *riozan* weinen. Dasselbe verbum ging bereits ursprachlich nach der *tud*-klasse s. *rudó*.

léudho steigen, wachsen. Ved. *róhati* wachsen, besteigen, hinschreiten zu. Zend. *raodheñti*, *raodhuhê* 2. sing. med. wachsen, emporkommen. Gr. *ἐλεύϑομαι*, erhalten nur im futur. ἐλεύσομαι, perf. ἐλή-λορϑα. Got. *liudan* wachsen Math. 4, 27.

skjéubho schieben. Ssk. *kshóbhate* schwanken, zittern (*kshubh* ruck, stoss). Got. *skiuban* schieben.

sk'éudo antreiben, sich beeilen. Ved. *códati* antreiben (für *çcódati*), gr. σπεύδω.

2. Der accent ruht auf dem thematischen vokale.
(Indische VI. oder *tud*-klasse.)

In ihrer flexion befolgt diese klasse genau das vorbild der vorigen. — Eine folge davon, dass der accent auf dem thematischen vokale liegt, ist die schwächung des vokales der stammsilbe. War derselbe hochbetontes kurzes *e*, so musste er ganz ausfallen. Entstand dadurch eine consonantenverbindung, die sich schwer sprechen liess, so sprang ein vokal-minimum ein (schwa indogermanicum), welches in seiner färbung (*ĭ, ī, ă, ŭ, ŏ*) durch die benachbarten consonanten bestimmt wurde. War der vokal der stammsilbe eine einfache länge (*ā, ē, ō*), so trat für dieselbe im anlaute die entsprechende kürze ein (*ă, ĕ, ŏ*), im inlaute zwischen consonanten stets *ă*. Stand endlich ein diphthong in der stammsilbe, so verlor derselbe das hochtonige *e*: *ĕi* wurde zu *i*, *ĕu* zu *u*.

a) Die stammsilbe war vokallos.

Typus *bhṛszó, bhṛszé.*
(Voller stamm war *bhérszo, bhérsze.*)

bhṛszó rösten.

Ved. *bhṛjjá'ti* 320, 7 = **bhṛsjá'ti* rösten. Griecb. φρύγω
dörren, rösten = *φρύσγω = *φρογγώ. Latein. *frīgo* aus
*frīsgo = **fṛsgo.*

uksó wachsen, kurzform zu *vékso* (s. dort).
Ssk. mit verschobenem accente *úkshati*, part. *úkshantam*
R.-V. 114, 7. Griech. mit prothetischem α: α-ΰξω.

gṛó verschlingen, kurzform zu *g'éro.*
Ved. *girámi* A.-V. 6, 135, 3 (mit verschobenem accente),
girati A.-V. 5, 18, 7 (*gir* = *gṛ*). Der volle stamm ist er-
halten in den imperfektformen *garat* A.-V. 16, 7, 4, *garan*
R.-V. 158, 5, welche als aoriste gebraucht werden.
Altbulg. *žīrq, žrēti* fressen (*žūr* = *žṛ*).

b) Der vokal der stammsilbe war eine tonlose
kürze.

Typus *ăźó, ăźé.*
(Voller stamm dazu war *á'źo, á'źe*).

Bemerkenswert ist, dass der accent im Ssk. bei dieser
klasse bereits von dem thematischen vokale auf den stammvokal zurückgezogen ist. Die gleiche erscheinung ist auch für
andere typen der *tud*-praesentia zu belegen.

ăźó führen, treiben.
Ved. *ájāmi,* zd. *azāmi.* Gr. ἄγω, lat. *ago,* an. *aka.* Die
volle form des stammes liegt in ἀγε-μόν, ἀγέ-ομαι, Ἡγέ-στρατος,
die abgelautete in ἀγ-ωγή *(áź : óź : ăźé).*

ănó hauchen, athmen.
Ssk. *ánati* (daneben ved. *aniti*) hauchen. Der alte accent
ist erhalten im part. neutr. ved. *anát* 164, 30. Got. *anan*
ōn hauchen. Der volle stamm vielleicht in *ána* mund (προση-
νίς, ἀπηνής).

cădó fallen.

Ssk. *çádati* gehen, fallen, lat. *cădo* ich falle, griech. der kurze stamm im aor. *κεκάδοντο*. Der volle stamm in lat. *cēdo*, gr. *ἐκεκήδει* „wich".

bhăló glänzen.

Ssk. *bhálate*. Lit. *bálù, bălaú, báłti* weiss werden. Die länge des *ă* in *bálù* kann nicht ursprünglich sein, da *ă* gar kein ursprünglicher litauischer laut ist. *bálù* geht also auf älteres *bálù* zurück. Die volle basis *bhě́lo* in altb. *bělu* weiss, an. *băl* die flamme.

răbhó packen, greifen.

Ssk. *rabhu* (im Veda stets unbetont), *rabhante* erfassen, greifen. Lat. *răběre*.

lăsó scheinen, strahlen (auch „sich erheben"?).

Ssk. *lásati* scheint, strahlt. Gr. *λά(σ)ω* an 3 stellen des Homer: *κύων ἔχε ποικίλον ἑλλόν ἀσπαίροντα λάων* τ 228, *κύων λάε νέβρον ἀπάγχων* τ 230, *οὐδέ κεν αὐτὸν αἰετὸς ὀξὺ λάων ἐσκέψατο* Hym. Mer. 360. Für die letztere stelle ist die bedeutung „sehen, blicken" sicher.

Der volle stamm wahrscheinlich in ssk. *lása* „das springen, hüpfen" (vgl. ssk. *lasati* „sich erheben, lustig sein, sich vergnügen").

---

c) Der vokal der stammsilbe war *ĭ* oder *ŭ*.
(*ĭ* und *ŭ* aus *ĕi* und *ĕu* geschwächt.)

α) Typus *vidó, vidé*.

Diesen vermag ich für die ursprache nur durch drei leider unsichere beispiele zu belegen:

isdó scheuen, verehren.

Ved. *ídate* = *izdate* verehren. Griech. mit prothetischem α: *α-ἴδομαι*. Unsicher ist dieses beispiel deshalb, weil es nicht feststeht, ob der hochtonige stamm *ísdo* oder *yísdo* gelautet hat.

tvisó erregt sein.

Ssk. *trishati*, belegt nur im impft. ved. *átvishus* 882, 4. *atvishanta* 703, 7. Griech. *σίω* = *σείω* „schütteln, in erregung

setzen", ein einziges mal überliefert bei Anacr. frag. 49 Θρηϊ-
κίην σίοντα χαίτην.

    pibhó trinken.

    Ssk. *pĩbati* (für **pibhati*) entspricht genau dem latein.
bibit (für **pibit*). Indessen ist es sehr zweifelhaft, ob wir eine
wurzel *péibho* „trinken" anzusetzen haben.

    In mehreren fällen ist im Ssk. der *tud*-stamm durch
einen eingeschobenen nasal erweitert:

    Ssk. *indháte* brennen = gr. *a-ίϑω* mit prothet. *a*.
    Ssk. *vindháte* ermangeln = lat. *di-vĩdo*.
    Ssk. *siñcáti* ausgiessen = altb. *sĩcati* harnen.

    β) Typus *rudó, rudé*.

    Nur ein beispiel mir bekannt:

    rudó schreien, weinen.

    Ssk. *rudáti* schreien, latein. *rŭdĕre* brüllen. Der volle
stamm in ssk. *ródati*, ags. *reótan*.

    Ebenso wie in der vorigen klasse ist im Ssk. der *tud*-
stamm bisweilen durch einen nasal erweitert:

    Ssk. *tudáti*, daneben *tundate*, lat. *tundo*.
    Ssk. *trũmpati* beschädigen, lit. *trupù* bröckeln.

---

§ 8.

II. In den einfachen typus tritt das element *ĭ*.

    Auch hier sind zwei klassen zu sondern:

    1. Der accent ruht auf der stammsilbe.

    Diese klasse hat wieder zwei unterabteilungen:

    a) Der stamm, an welchen *ĭ* tritt, endigt auf
einen consonanten. Der vokal der stammsilbe ist in
diesem falle stets hochbetontes *e*. Ein ursprachliches beispiel dafür, dass der stammvokal eine einfache länge oder
ein diphthong wäre, ist mir nicht bekannt.

    ghédhĭo bitten.

    Zd. *jaidhyêmi* bitten, *jaidhyãmi* (conjunktiv?), *jaidhyêhi*

(eonj. oder ind.), *jaidhyaûti, jaidhyáoûti, jaidhyâis, jaidhyaṭ, jaidhyeu, jaidhyata,* part. *jaidhyaûd-.*
Griech. *ϑέσσομαι* (aus *ϑέϑjομαι) anflehen. Got. *bidja* bitten, altir. *guidin* ich bitte.

crémịo, cérmịo ermüden, ruhen.
Ved. *çrā́myanti* 219, 4 (mit sekundärer dehnung) ermüden. Lit. *kirmyjù, kirmýti* (abgeleitet) schlafen. Ahd. *hirmjan* ruhen, rasten.

ẓhérịo gern haben, begehren.
Ved. *hā́ryatha, hā́ryanti, hā́ryâs, haryatam,* part. *háryat-, háryamâṇa* gefallen finden an, sich ergötzen. Umbr. *heriest* „volet" (osc. *herest*), osc. *heriiad* 3. sing. praes. conj. act. = „velit".

Im Griechischen gehört das verbum zu der zweiten klasse mit endbetonung und geschwächtem vokal *χαίρω* = *χαρι̯ώ* = *χ˘ρι̯ώ.*

téṇịeti es donnert.
Ved. *tanyati* = acol. *τέννει* aus *τένjει,* von Hesych durch *στένει, βρίχεται* erklärt. Im Ags. geht das verbum nach der zweiten klasse *þunjan* = *þˉnján* donnern.

trésịo sich eilends bewegen.
Ssk. *trásyati* erzittern, fliehen, lit. *tresiù* läufisch sein (von der hündin). Die grundbedeutung der wurzel ergiebt sich für das Ssk. aus *trasa* sich bewegend, beweglich, *trasara* das weberschiff. Neben *trésịo* besass die grundsprache, wie wir sahen, ein praesens vom reinen stamme *tréso.*

désịo ausgehen, mangeln.
Ved. *dásyati* ausgehen, mangel, not haben. Ags. *teorian* aus *térian* aufhören, ausgehen, ermatten.

pέkịo kochen.
Ved. *pácyate* 135, 8, gr. *πέσσω* = *πέκjω* erweichen, kochen. Dasselbe verbum besass daneben den reinen praesensstamm *péko* : ved. *pácati*, altb. *pekq*, lat. *coquo*.

nέksịo herzukommen.
Ved. *nákshati* (aus *nákshyati*) sich einfinden, got. *niuhsjan* besuchen, as. *niusian* versuchen, in versuchung bringen, ags.

4

50

neόsan = *niuhsjan, *nёhrsjan. Freilich lässt sich *nákshati*
auch als *nékseti* fassen.

rég'ịo (sich) färben.
   Ssk. *rájyati* roth sein, sich färben, gr. *ῥέζω* färben =
*ῥέγjω.

spécịo sehen, blicken.
   Ved. *páçyati*, zd. *çpaçyá*, 3. sing. *çpaçyéiti* sehen, er-
blicken. Latein. *specio*. Das griechische *σκέπτομαι* hat man
mit unrecht hierzu gestellt.

sepélịo ehre erweisen.
   Ved. *saparyáti* (mit accentverschiebung), lat. *sepelio* „die
letzten ehren erweisen = bestatten". Die annahme einer
accentverschiebung ist für die vedischen formen notwendig,
da lat. *pel* keine schwache silbe sein kann.

b) Der stamm, an welchen *ị* tritt, endigt auf einen
   einfachen langen vokal.

kū'ịo schreien, heulen.
   Ssk. intens. *ko-kúyate*, griech. intens. *κω-κῑ́(j)ω* für **κῑ-
κῑ́ω*, vgl. altbulg. *kujq*, *kujati* murren.

khjī́ịo vernichten, schwinden.
   Ved. *kshī́yate* vernichten, schwinden. Gr. *φϑίω* = *φϑίjω.

gắịo tönen.
   Ved. *gáyati* singen. Altbulg. *gajq*, *gajati* „crocitare".

ejắịo leuchten, brennen.
   Ssk. *çyắyati* gefrieren, gerinnen machen. Altbulg. *sijajq*,
sijati leuchten.

dū́ịo geben.
   Ssk. *á-dắyamâna*, altb. *dajq*, *dajati* geben.

pī́ịo anfeinden.
   Ved. *pī́yati* schmähen, zuwiderhandeln. Got. *fijan* hassen,
fijands = ahd. *fiant* der feind.

pū́ịo stinken.
   Ssk. *pū́yati* faul werden, stinken. Gr. *δια-πῑ́(j)ω*.

56

mnā́i̯o gedenken; freien.

Ssk. *â-mnâyati* erwähnen, gedenken. Gr. μνά(j)ομαι „ich freie" = „ich gedenke, ich minne".

lā́i̯o und *rḗi̯o* kreischen, bellen.

Ssk. *rā́yati* bellen, ved. *rāyasi, rāya,* part. *rā́yat-.* Lit. *lóju, lóti* = altbulg. *lajq, lajati* bellen, schimpfen. Lit. *rė́ju, rė́ti* schelten = got. *laian.*

Das *ai* in *laian* ist wahrscheinlich die bezeichnung für offenes *ê (léan),* vgl. Braune, Got. gramm.[3] § 22.

sphḗi̯o sich ausdehnen.

Ssk. *sphā́yate* fett werden, zunehmen. Lit. *spḗju* musse haben, altbulg. *spḗjq* erfolg haben, vorwärts kommen.

Anmerkung. Von den angeführten stämmen sind *gā, ei̯ā, dō, lā, rē* und *sphē* primär. Die übrigen sind durch accentverschiebung aus zweisilbigen typen hervorgegangen:

kū aus *keu̯a,* vgl. ssk. *kavate* tönen, seufzen.

khjī aus *khjei̯a, khjoi̯o* in *q θόα* die schwindsucht.

pī aus *pei̯a, pḗi̯o* nicht zu belegen.

pū aus *peu̯a, pḗu̯o* nicht zu belegen.

mnā aus *mena,* aoriststamm zu ssk. *mánati* gedenken.

2. Der accent ruht auf dem thematischen vokale.

Auch diese klasse zerfällt in zwei unterabteilungen:

a) Der stamm, an welchen *i* tritt, endigt auf einen consonanten.

Der vokal der stammsilbe fällt entweder ganz aus, wenn er nämlich im hochbetonten stamme *é* sein würde, oder er ist ein tieftoniger kurzer vokal, wenn der hochbetonte stamm eine der längen *ā, ē, ō* führen würde, oder er ist endlich drittens *i* oder *u,* wenn im hochbetonten stamme *éi* oder *éu* stehen würde. Alle drei kategorieen sind zu belegen:

α) Der vokal der stammsilbe fällt ganz aus:

ghr̥dhi̯ó rasch schreiten, voller stamm *ghrédho.*

Ved. part. *gr̥dhyantam* 334, 3 rasch schreitend. Latein. *gradior* = **gr̥diór.* Der volle stamm in *gressus* = **gred-sus,* got. *grids* der schritt.

4*

t̥rsi̥ó dürsten, voller stamm *térso.*
Ssk. *tŕshyati,* ved. part. *tŕshyant-* dürsten (mit verscho-
benem accente). Got. *þaúrsjan* dürsten (= *þursjan, *þ̄rsján*).
Der volle stamm in got. *þaúrsau* verdorren.

tur n̥i̥ó eilen.
Ssk. *turaŋyáti,* ved. part. *turaŋyát-* eilen, beeilen = *turn̥i̥áti.*
Griech. mit prothetischem *o*: *ὀ-τρύνω* = *ὀ-τρῠ́νι̯ω* aus
ὀ-τῐ̥ρνι̯ώ. ὀτρύνω ist aus *ὀτρῐ́νι̯ω* (mit zurückgezogenem
accente) entstanden.

mr̥i̥ó sterben, voller stamm *méro.*
Ssk. *mri̯yáte* = *mr̥yáte,* lat. *morior* = *mr̥iór.*

vr̥zi̥ó wirken, voller stamm *vérzo.*
Zd. *verezyȃmi* ich wirke = *vr̥zyȃmi* (zd. *ere* = ssk. *r̥*).
Griech. *ῥέζω* = *ϝρέγι̯ω* aus *ϝρεγι̯ώ.* Das *ε* ist ein tief-
toniges. Gotisch *raúrkjau* = *vurkjau* = *vr̄kjáu* arbeiten.

β) Die stammsilbe führt einen tieftonigen kurzen
vokal.

ŏki̥ó sehen, voller stamm *ŏ́ko.*
Ved. *íkshe* ich sehe, aus *ikyé.* Das *í* ist schwacher
vokal. Griech. *ὄσσομαι* = *ὄκι̯ομαι* sehen, got. *ahjau* glauben, meinen. Der volle vokal in zd. *áka* offenbar, griech.
ὀπωπή der anblick.

γ) Die stammsilbe führt *i* oder *u*
(voller stamm mit *éi* oder *éu*).

sivi̥ó nähen, voller stamm *séivo.*
Ved. *sí̄ryatu* 223, 4 (mit verschobenem accente). Altb.
si̯i̯q (aus *sjȃjq*) nähen. Lat. *süo* (= *sjujo*), got. *sinjan.*

svidi̥ó schwitzen, voller stamm *svéido.*
Ssk. *svídyati.* Gr. *ἰδίω* = *σϝιδι̯ό,* ahd. *swizjan.*
Der volle stamm in ssk. *svédate.*

uki̥ó gern haben, lieben, voller stamm *éuko.*
Ssk. *úcyati* (mit verschobenem accente), ved. *ucyasi* 435, 4
gern haben = gr. *ὀπυίω* heirathen = altb. *ob-yéq* werde gewohnt.
Der volle stamm *euko-* im pf. *uróca,* ferner in *ókas* n.
behagen, wohnstätte.

53

b) Der stamm, an welchen i tritt, endigt auf einen einfachen kurzen vokal.

Der entsprechende volle stamm endigt auf einen einfachen, langen vokal, vgl. § 8. Da im Ssk. als schwächung der langen vokale nicht i, sondern a erscheint, so muss der accent in dieser klasse bereits ursprachlich vom thematischen vokale auf den stammvokal zurückgezogen sein. Wenn ich trotzdem im folgenden die ursprachliche form mit betonung des thematischen vokales ansetze, so thue ich das auf grund des schwachen stammvokales, der ursprünglich den accent nicht getragen haben kann.

$kj\breve{e}$-$i\acute{o}$ erwerben, besitzen, voller stamm $kj\bar{e}$.
Ved. $ksh\acute{a}yati$ wohnen, beherrschen, ion. $\varkappa\tau\acute{e}o\mu\alpha\iota = *\varkappa\tau\acute{e}jo$-$\mu\alpha\iota$. Der volle stamm in $ksh\acute{a}$ sitz, herrschaft, $\varkappa\tau\tilde{\eta}$-$\mu\alpha$ besitz.

$c\breve{e}$-$i\acute{o}$ liegen, voller stamm $c\bar{e}$.
Ved. $\varsigma\acute{a}yante$, $\varsigma ayate$, $\varsigma ayadh\bar{v}e$, $a\varsigma ayat$. Griech. $\varkappa\acute{e}o\nu\tau\alpha\iota$ Il. XXII, 510, conj. $\varkappa\acute{e}\omega\mu\alpha\iota$, opt. $\varkappa\epsilon o\acute{\iota}\mu\eta\nu$.
Der volle stamm $c\bar{e}$, abgelautet $c\acute{o}$, in gr. $\varkappa\acute{\omega}\mu\eta$ dorf („liegenschaft"), $\varkappa\tilde{\omega}\mu\alpha$ schlaf.

$c l\breve{e}$-$i\acute{o}$ anlehnen, voller stamm $c l\bar{e}$.
Ssk. $\varsigma r\acute{a}yati$, $\varsigma r\acute{a}yate$ anlehnen, sich anlehnen. Lit. $szl\acute{e}j\grave{u}$ anschmiegen, wahrscheinlich aus $*szlei\acute{o}$, $*szl\ddot{e}\acute{o}$ entstanden.
Den vollen stamm sehe ich in gr. $\varkappa\lambda\tilde{\iota}\mu\alpha$ die ranke, der schössling.

$c v\breve{e}$-$i\acute{o}$ anschwellen, voller stamm $c v\bar{e}$.
Ved. part. praes. vi-$\varsigma v\acute{a}yat$ 566, 1. Griech. $\varkappa v\acute{e}(j)\omega$, lat. in-$ciens = *cveiens$.
Der volle stamm $cv\bar{e}$ in ved. $\varsigma v\acute{a}$-$tr\acute{a}$ gedeihen schaffend, gedeihlich, $\varsigma v\acute{a}'tria$ dass., $\varsigma v\acute{a}$-$nt\acute{a}$ hülfreich.

$d\breve{e}$-$i\acute{o}$ binden, voller stamm $d\bar{e}$.
Ssk. $dy\acute{a}ti$, ved. $\acute{a}dyat$ binden, gr. $\delta\acute{e}(j)\omega$ aus $*\delta\epsilon\iota\acute{o}$.
Der starke stamm in ved. ni-$d\hat{a}t\acute{a}r$ 681,5 „der anbinder", $d\acute{a}'man$ band, gr. $\delta\acute{\iota}\delta\eta\mu\iota$, $\acute{v}\pi\acute{o}$-$\delta\eta$-$\mu\alpha$ „das untergebundene, die sandale".

$k'\breve{e}$-$i\acute{o}$ beobachten, scheuen, ehren; strafen. Der volle stamm ist $k'\bar{e}$.
Griech. $\tau\epsilon\acute{\iota}\omega$ kann nur aus $*\tau\breve{e}\iota\acute{o}$ entstanden sein. Das

ved. *cá'yamána* „verehrend" hat den vollen stamm und gehört deshalb in die vorige klasse. Dagegen heisst „er straft" im Ssk. *cáyate*, so dass wir auch wohl für die bedeutung „verehren" einen doppelten praesensstamm, *cá'ya* und *cáya*, ansetzen dürfen. Im Ssk. hat *cáyate* ausserdem noch die bedeutung „beobachten, wahrnehmen". Aus ihr hat sich offenbar erst die bedeutung „verehren" entwickelt. Legen wir die bedeutung „beobachten, wahrnehmen" zu grunde, so erhalten wir einen beleg für den alten, vollen stamm *k'ē* in dem griechischen *τη-ρός* (davon abgeleitet *τηρέω*) „beobachtend, behütend" bei Aesch. Suppl. 238 (Kirchh.): *τηρὸν ἱεροῦ ῥαβδόν.*

dhĕ-ịó saugen, voller stamm *dhē*.

Ssk. *dháyati* saugen. Altb. *dojų* = got. *daddjan* säugen. In den beiden letzteren formen ist idg. *dhē* nicht zu *dhĕ*, sondern zu *dhă* verkürzt.

Der volle stamm in *θῇ-σθαι*, *dhá'tu* saugbar, *dhá'ru* saugend u. a.

pĕ-ịó schwellen; tränken, voller stamm *pē*.

Ved. *páyate* 164, 28 strotzen; tränken. Altbulg. *pojų* tränken. Auch hier der ablaut von idg. *pē* zu *pă*, altbulg. *pŏ*. Im Ssk. ist *pâ* = idg. *pē* mit *pâ* = idg. *pō* saugen, trinken zusammengefallen. Im Griechischen steckt *pē* wahrscheinlich in *Πη-νειός* (von *πη-νός* abgeleitet) „der tränkende, bewässernde".

Wahrscheinlich ist die wurzel *pō* „trinken" nichts als eine ablautsform zu *pē*. Es würde sich dann folgendes schema ergeben

pē	*pō*	*pĕ-* (oder *pă-*)
pē'-ịó	*pó'-ịo*	*pĕ-ịó*, *pĕ-ịá*, *pi-*
		(*pă-ịó*, *pă-ịá*, *pi-*).

bhĕ-ịó sich fürchten, voller stamm *bhē*.

Ved. *bháyate*, altb. *bojŋ*. Auch hier im Altb. der ablaut *ē : ă*, vgl. die beiden vorigen praesentia. Den vollen stamm *bhē* vermag ich nicht nachzuweisen. Steckt der abgelautete stamm *bhō* vielleicht in *φω-λεός* „schlupfwinkel", *φωλέω* (von *φω-λός*) „sich verbergen, sich verstecken"?

m ă-i̯ó sorgen, streben, voller stamm *mē*.
Griech. *μαίομαι* (aus **μαι̯όμαι*) trachten nach, altb.
sŭ-mĕj̯q wagen *(mĕjo = *maij̯ó, *mai̯ó).*
Der volle stamm in gr. *μῆτις* anschlag, list, ved. *abhí-
mā-tis* nachstellung, anschlag. Wahrscheinlich gehört zu
μαίομαι und *mĕj̯q* das ssk. *máyate* „er bewegt sich, geht".

vĕ̆-i̯ó flechten, winden, weben, voller stamm *vē*.
Ved. *váyanti* 450, 2 weben. Lit. *rejù = *vĕ̯i̯ú* drehen
(einen strick). Der volle stamm im perfectum *vaváu.*

sphă-i̯ó ziehen, voller stamm *sphē.*
Zd. *çpayêiti* mit *apa* ausziehen, gr. *σπάω* aus **σπά(j)ω*
für älteres **σπᾱι̯ώ.*
Voller stamm in ssk. *spháyati* sich ausdehnen (s. oben).

Bemerkungen.

Dadurch, dass in den typen *crĕ̆-i̯ó, k̯ĕ̆-i̯ó, clĕ̆-i̯ó,* welche
ursprünglich nur dem praesens angehörten, der accent auf
den stammvokal zurückgezogen wurde, entstanden die neuen
praesentia *crĕi̯o, k̯éi̯o, cléi̯o,* in denen nun *i* nicht mehr als
praesensbildendes element, sondern als integrierender teil des
verbalstammes aufgefasst wurde. *crĕi̯o, k̯éi̯o* und *cléi̯o* standen
also auf derselben stufe wie *bhéro, séro* u. a. und bildeten
demgemäss aus sich heraus die schwachen typen *k̯éi̯a : k̯i,
crĕi̯a : cvi, cléi̯a : clī.* Diese schwachen typen wurden nun
ihrerseits wieder durch anfügung eines nasals zu neuen abgeleiteten praesensstämmen verwandt: *κλί-ν-ω, πί-ν-ω* (das
nicht etwa mit ssk. *pínvati* identisch ist). Ebenso ist z. b.
πλύ-ν-ω aus dem typus *πλέfα : πλῦ* durch anfügung des
nasals weitergebildet.

Diese entwicklung ermöglicht es uns nun auch, *pō* „trinken" mit *pī* aus einer grundform herzuleiten. Diese war sehr
wahrscheinlich, wie ich bereits erwähnte, *pē.* Die ablautsform
dazu hiess *pō,* erhalten in *πῶϑι,* erweitert in *πώ-ν-ω.* Zu
pē wurde ein praesens *pĕ-i̯ó* gebildet. Dieses wandelte sich
— nach den obigen ausführungen — in *péi̯o* um. Zu *péi̯o*
lauteten die schwachen formen *péi̯a : pī.* Aus *pī* wurde *πῖϑι*
und mit nasalerweiterung *πί-ν-ω* gebildet.

§ 9.

III. In den einfachen typus tritt das element skh.

Für die ursprache lassen sich 3 beispiele nachweisen:

$g\,ṇ$-skh-$ó$ gehen, voller stamm $g'émo$.

Ved. $gáchati$ aus $*gṇcháti$ = $*gṇscháti$, zd. $jaçaiti$ = $*jṇçati$, gr. $βάσκω$ = $*βϝσκό$ in $βάσκε$, $βάσκετε$.

$pṛc$-skh-$ó$ fordern, voller stamm $préco$.

Ved. $pṛcháti$, zd. $pereçaiti$ (= $*pṛç$-$scháti$), altp. par-$satiy$, überliefert sind $aparsam$ 1. sing. impf., $parsâ$ 2. sg. imper., $(pati)parsáhy$ 2. sg. conj., $patiparsátiy$ 3. sg. conj. — Latein. $posco$ aus $*por(c)$-sco (or = idg. $ṛ$). Der volle stamm erscheint in lit. $perszù$ (= $*pérco$) „den freiwerber machen". Das altb. $prosq$ steht für $*pros$-jq (= idg. $*proc$-$i̯ö$) und ist wohl von einem subst. $prosü$ oder $prosa$ „die anfrage" abgeleitet. Dass es auch im Germanischen einmal ein praesens $*furska$ = idg. $*pṛcskhó$ gegeben hat, geht aus dem althochd. davon abgeleiteten substantive $forscâ$ (= $*furscâ$, $*frscâ$) „die frage" hervor.

Das verhältnis des starken stammes $pérco$ in lit. $perszù$ zu dem starken stamme $préco$ in lat. $prex$, abgelautet in altb. $prosq$, ist noch nicht aufgeklärt. Derartige fälle, in denen hochtoniges e, wenn r mittlerer radikal war, bald vor bald nach dem r stand, lassen sich bereits aus der ursprache nachweisen. Ich erinnere nur an das nebeneinanderliegen von $tréso$ „zittern" in ved. $trásati$ = gr. $τρέ(σ)ω$ und $térso$ in altpers. $tarsatiy$, lat. $terreo$ = $*terseo$.

$zṇö'$-skh-o erkennen, $znö$ aus $zenó$.

Altpers. $khshnásátiy$ 3. sing. conj. von $khshnásámi$ = griech. $γνώσκω$ (Epirus), $γι$-$γνώσκω$. Ferner altp. $khshnásáhat'ish$ 2. sing. conj. ($+d'ish$). Idg. zn wurde im Eranischen zu shn, für shn erscheint im Altpersischen $khshn$, vgl. Brugmann, Grundriss I, 300 ($xśn$). Das altpersische s entspricht hier ebenso wie in $parsámiy$ dem avestischen $ç$ = idg. $sk'h$.

Ein viertes mit skh gebildetes praesens war

$v\,ṇ$-skh-$ó$ oder $v\,ḗ n$-skh-o wünschen, begehren.

Die reine wurzel in *van* begehren, lat. *Ven-us.* Ssk.
vā'ñchati gern haben, lieben. Im Germanischen ist nur das
vom praesensstamme *wunskó* = **wŗyskó* abgeleitete substantiv
wunsc (ahd.) und das auf *wunsc* zurückgehende verbum
wunsejan „wünschen" erhalten.

vā'ñchati weist auf ein ursprachliches *véñ-skh-o*, *wunsc*
dagegen auf *vŗ-skh-ó*.

§ 10.

IV. Der einfache typus wird durch einen nasal erweitert.

1. Der nasal tritt hinter den zweiten radikal.

Ein ursprachliches beispiel existiert nicht.

Im Ssk. sind nur 2 derartige praesentia, beide mit betonung des thematischen vokales, zu belegen:

mŗnáti zu *mar* zerstören, zermalmen (neben *mŗṇá'ti*).

pŗnáti zu *par* anfüllen (neben *pŗṇá'ti*).

Auch das Griechische kennt nur 2 der älteren sprache
angehörige beispiele:

τάμνω, homerisch neben *τέμνω.* In die letztere form ist
der hochtonige vokal wahrscheinlich von **τέμω* aus hinein-
gedrungen.

δάκνω beissen. *δᾱκ* kurzform zu *δηκ* z. b. in *δη'ξομαι.*

πτάρνομαι Ar. Probl. 10, 18 statt *πτάρνυμαι* ist eine
offenbar junge bildung. Dass aeol. *fέλλω*, dor. *fή'λω* att. *εἴλω*
aus **fέλνω* (ar. *vŗṇố'mi*) und aeol. *βέλλομαι*, dor. *βώλομαι*,
att. *βοι'λομαι* aus **βέλ-νο-μαι*, **βόλνομαι* entstanden sei (vgl.
G. Meyer, Griech. gramm.² p. 385), ist eine durch nichts
zu beweisende behauptung.

Häufig sind die praesentia dieser klasse im Altbulgarischen. Da der stamm bald vollen, bald geschwächten vokal
zeigt, so scheint eine doppelte betonung hier zu grunde zu
liegen:

Beispiele für die starke wurzelform: *za-kleną* aus
*klépną verschliessen (gr. *κλέπτω* stehlen, lat. *clepo* eig.
„verheimlichen"), *stigną* erreichen (gr. *στείχω*), *rygną* = lat.
erūgo, *žasną* erschrecken u. s. w.

Beispiele für die schwache wurzelform: *bъną* erwachen

aus *bäd-nq (starker stamm bheudh-, ssk. bódhati). lipnq an-
kleben intr., süchnq trocknen (süchü trocken), trügnq =
*try-nq reissen, mrüknq = *mrk-nq dunkeln u. s. w.

2. Der nasal tritt vor den zweiten radikal.

a) Der accent ruht auf der stammsilbe.

Der vokal derselben ist in allen ursprachlichen beispielen
hochtoniges é.

k'é-n-ko gürten, binden, zu k'éko. Ssk. káñcate binden, lit. (abgeleitet) kinkaú, kinkýti gürten, lat. cingo.
Der reine typns k'éko (abgelautet koko) in ssk. kácate (= idg. k'ek'etai), kaca m. band (= idg. koko).

bhé-n-dho binden, der ursprüngliche stamm bhédho ist nicht zu belegen. Ssk. bándhati (selten), zd. baṅdámi, got. bindan.

mé-n-tho drehen, zu métho. Ssk. mánthati quirlen, altb. mętq dass.
Der reine typus métho, abgelautet motho, mit dehnung in ssk. mátha das aufreiben, vernichten, gr. μόϑος (homer.) schlachtgetümmel, ferner in ssk. máthati, math der quirl.

lé-n-gho springen, hervorspringen, zu légho. Ssk. lánghati springen, caus. jemanden packen, anfallen. Gr. ἐ-λέγχω beschuldigen, mhd. lingen vorwärts gehen.

té-n-so ziehen, zu téso.
Aus dem vedischen aoriste átataṁsatam 120, 7 ist auf ein praesens táṁsámi „recken, ziehen, zerren" zu schliessen. Got. þinsan, ahd. dinsa „ich ziehe". Lit. (abgeleitet) tęsiù, tęsti ziehen, recken. Der reine stamm in tásara weberschiff, tásūna hanf?

sé-n-go hängen, zu ségo.
Ssk. sáñjati, sájjati hängen. Altbulg. segq heranreichen, got. siggan „sinken" = „abhängen".
Der reine typus ségo ergiebt sich aus einer vergleichung des ssk. sájati (neben sáñjati) mit lit. segiù schnallen, um-
binden, anbinden.

sk'é-n-do schimmern, zu *sk'edo.*

Ein praesens **çcándámi* ist zu erschliessen aus dem vedischen *cáni-çcadat* (partic. d. intensivs) und *çcandrá* glänzend. Lat. *in-cendo, ac-cendo.*

Der reine typus *sk'édo*, abgelautet *skodo* in gr. σποδός die glutasche.

sk'é-n-do springen, zu *sk'edo.*

Ved. *skándati, caskanda* hüpfen, lat. *de-scendo*, altir. *scinnim* ich springe, aus **scindim*, **scendim.*

sk'hé-n-go hinken, zu *skhégo.*

Ssk. *kháñjati* hinken, ahd. (schwach) *hinchan.*

spé-n-do zittern, zucken, zu *spédo.*

Ssk. *spándate* zucken, zittern, lat. *pendere* aufhängen = vibrieren lassen. Gr. σφενδο-νή. Der reine typus in gr. σφεδ-ανός ungestüm, aufgeregt, σφοδ-ρός.

vé-n-ko wanken, rollen, zu *véko.*

Ved. *váñcati* er wankt. Ahd. *winchan* (schwach). Der reine typus in *vákvan* rollend, sich tummelnd.

cé-n-ko hangen, zu *céko.*

Ssk. *çáñkate* zweifeln. Got. *háhan* für **hanhan* hängen. Das stammhafte *a* = idg. *o* für *i* = idg. *e* ist aus dem perfekte eingedrungen.

Der reine stamm in *çakuná* vogel.

cé-n-so preisen, schätzen, zu *céso.*

Ved. *çáṁsati* preisen, lat. *censeo, censüm.* Der reine stamm in *çá'sati* er preist, *çásá* lob.

Anmerk. In allen diesen fällen war der nasal ursprünglich aufs praesens beschränkt. Indessen scheint er bereits in der ursprache von hier aus auf die übrigen tempora übertragen und so zu einem festen elemente des verbalstammes geworden zu sein, vgl. auch die anmerk. auf pag. 55.

b) Der accent ruht auf dem thematischen vokale.

kr-n-tó zerspalten, voller stamm *k'érto.*

Ved. *kṛntámi* V.-S. 5, 22, *kṛntát* (conj. imperf.) R.-V. 665, 30 zerspalten. Lit. *krintù, kritaú*, *krìsti* herabfallen *(in = ụ).*

Der volle stamm in ssk. perft. *cukarta*, lit. *kertù, kìrsti* hauen, mäben.

bhu-u-gó erfreuen, med. geniessen, voller st. *bhéugo.*
Ssk. *bhuñjáti*, lat. *fungor.*
Der volle stamm idg. *bhéugo* in ved. *bhojam, bhójate.*

mu-u-kó ablösen, voller stamm *méuko.*
Ved. *muñcá'mi, muñcántu* auflösen, ablösen. Lett. *múku* = *múnku.*
Der volle stamm in *mumóca, mocaua* das lösen.

ru-m-pó zerbrechen, voller stamm *réupo.*
Ssk. *lumpáti* zerbrechen, lat. *rumpo.*
Der volle stamm in *lopa* abfall, *loptra* raub, beute u. a., ags. *reófan*, an. *rjúfa* brechen.

ru-u-kó reissen, rupfen, voller stamm *réuko.*
Ssk. *lúñcati* reissen, raufen, abreissen. Lit. *runkù, rùkti* verschrumpfen (= rissig werden). Latein. (abgeleitet) *runcáre* gäten.

vi-u-dó finden, voller stamm *véido.*
Ved. *viudá'mi, vindáti, vindáte* auffinden. Altir. *finnaim* = *findaim* ich finde.
Der volle stamm in ved. *védas* habe, besitz. *su-véda* leicht zu finden, zu erlangen.

li-m-pó bestreichen, voller stamm *léipo.*
Ssk. *limpáti* bestreichen, lit. *limpù, lìpti* kleben.
Voller stamm in ssk. *répas* fleck, schmutz.

Anmerkung. In vielen fällen entspricht einem europäischen praesens, welches zur vorstehenden klasse gehört, ein mit infigiertem *né, n* gebildetes nichtthematisches praesens im Sanskrit. Beispiele:

Ssk. *pi-ñ-kté* malen, latein. *pingo.*
Ssk. *pi-ná-sh-ti, pi-m-shánti* zerstampfen, latein. *pinso.*
Ssk. *bhi-ná-t-ti, bhi-n-dánti* spalten, latein. *findo.*
Ssk. *yu-ná-k-ti, yu-ñ-j-ánti* verbinden, latein. *jungo.*
Ssk. *ri-ná-k-ti, ri-ñ-cánti* lassen, latein. *linquo.*
Ssk. *vr-ná-k-ti, vr-ñ-jánti* wenden, gr. *ϝυέαβω* = *ϝϱ̈́μβω* umherdrehen, umherwälzen.
Ssk. *chi-ná-t-ti, chi-n-dánti* spalten, latein. *scindo.*
Ssk. *a-ná-k-ti, a-ñ-jánti* schmieren, latein. *unguo.*

In allen diesen fällen ist die indische nichtthematische flexion

wahrscheinlich die ursprüngliche. Die europäischen praesentia scheinen
erst nachträglich in die thematische flexion hinübergezogen zu sein.

Ob nicht auch einige der vom schwachen stamme gebildeten nasal-
praesentia, welche sowohl im Sanskrit wie im Europäischen thematisch
flektieren und also wahrscheinlich bereits in der indogermanischen
grundsprache thematisch flektierten, ursprünglich nichtthematische
praesentia waren, muss dahin gestellt bleiben.

§ 11.

Das verhältniss der praesensstämme mit stammbetonung zu den auf dem thematischen vokale betonten stämmen.

In allen 4 klassen der praesensstämme, welche wir soeben
besprochen haben, finden wir bald den stammvokal, bald den
thematischen vokal betont. Der stammvokal ist in folge dessen
bald hochtoniges $\breve{e}$ oder ein langer vokal resp. diphthong,
bald ein vokalminimum oder ein kurzer vokal resp. i oder u:

1. klasse *némo*, aber *bhr̥sg̑ó.*
   kā́so, aber *ăg̑ó.*
   léiko, aber *tvīsó.*
2. klasse *g̑hédh-i̯-o*, aber *tr̥s-i̯-ó.*
   i̯ā́-i̯-o, aber *cĕ̆-i̯-ó.*
3. klasse *zu ṓ-skh-o*, aber *g m̥-skh-ó.*
4. klasse *k̑é-n-ko*, aber *li-m̥-pó.*

Wenn nun auch beide stammtypen — der stammbetonte
und der endbetonte — zur zeit der indogermanischen sprachtrennung bereits scharf von einander gesondert und selbständig
geworden waren, so liegt doch die vermutung nahe, dass es
ursprünglich nur ein aus beiden typen combiniertes paradigma
gab. Diese vermutung ist zuerst von Fick in den Götting.
Gelehr. Anz. 1880 p. 434 ff. ausgesprochen und nachher von
verschiedenen seiten aufgenommen. Indem Fick Saussure's
entdeckung, dass *e* der vokal des hochtones war, dadurch
erweiterte, dass er *o* als den vokal des nachtones erwies,
stellte er folgendes paradigma als das älteste auf:

léikō,   likési,   likéti
léikomes,   likéthe,   léikonti.

Durch formenausgleichung seien dann zu *likési, likéti, likéthe* die formen *likō'*, *likómes*, *likónti* und umgekehrt zu *léiko*, *léikomes*, *léikonti* die formen *léikesi*, *léiketi*, *léikethe* neu hinzu gebildet.

Ebenso sah das paradigma in den 3 übrigen klassen aus:
2) *térs-ị-ō*, *trs-ị-ési*, *trs-ị-éti* u. s. w.
3) *pérc-skh-ō*, *prc-skh-ési*, *prc-skh-éti* u. s. w.
4) *kér-u-tō*, *kr-n-tési*, *kr-n-téti* u. s. w.

Was für Fick's theorie spricht, ist der umstand, dass dieselbe wurzel zum teil in derselben sprache bald stammbetont, bald endbetont ist, z. b.

Gr. σείω neben *trisháti* = gr. σίω Anacr. frag. 49.
Ssk. *úshati* = gr. εἴω neben α-ἔω mit prothetischem *a*.
Ved. *sécate* = ahd. *sihit* neben *siñcáte*.
Gr. λείχω neben ssk. *riháti*.
Ags. *tredan* neben got. *trudan* = *trdán*.
Ssk. *márate* neben altb. *mĭrq*.
Gr. σπέρχομαι neben zd. *açperezatâ* (-ere- = idg. *r*) 3. sing. impf. med.
Ssk. *yábhati* neben gr. o-ἴφω mit prothetischem *o*.
Gr. κήδω neben ssk. *khadáti*, ved. *khidáti*.
Altb. *rekq* neben ssk. *árcâmi* = *rcá'mi* mit prothetischem *a*.
Gr. ἀκείω neben ssk. *kucáte*.
Ssk. *srávati* neben altb. *srĭrq*.
Ssk. *ródati* = ags. *reótan* neben ssk. *rudáti* = lat. *rūdĕre*.

Die beispiele liessen sich häufen.

Ob das ursprüngliche paradigma wirklich so ausgesehen hat, wie Fick dasselbe construiert, kann man bezweifeln. Fick selbst hält jetzt an demselben nicht mehr fest. Jedenfalls scheint der gedanke, dass die stammbetonten und die endbetonten praesenstypen ursprachlich ein system bildeten, das richtige zu treffen. Dieses system werden wir aber erst dann zu reconstruieren im stande sein, wenn wir das wesen des indogermanischen accentes und des indogermanischen vokalismus ganz erkannt haben.

Die nichtthematischen oder mi-praesentia.

§ 12.

Das charakteristische der **mi-praesentia** besteht in dem mangel eines thematischen vokales. Zwar können die stämme derselben auf einen vokal auslauten, aber dieser ist dann der eigentliche stammvokal, welcher in folge dessen in allen personen seinem grundcharakter nach unverändert bleibt.

Ferner unterscheiden wir bei den nichtthematischen praesentibus zwei verschiedene stämme: einen starken stamm mit betonung des stammvokales (für die drei ersten personen des singulars) und einen schwachen stamm mit betonung der endung (für die drei personen des duals und plurals).

Bereits ursprachlich wurde der starke stamm verallgemeinert und verdrängte den schwachen stamm aus vielen seiner positionen. Das einzelne hierüber bei den paradigmen.

Wenn bei einzelnen praesentibus scheinbar drei stämme neben einander liegen (z. b. *ēs, es* und *s*), so hat das seinen grund in der entstehung der ganzen *mi*-flexion, auf welche ich am schlusse näher eingehen werde.

Sonst unterscheidet sich das nichtthematische praesens vom thematischen noch durch das m oduskennzeichen des optativs und einige endungen.

Wir unterscheiden für die ursprache drei klassen nichtthematischer praesentia.

1. Die sogenannte **wurzelklasse.** Die endungen treten an den reinen — meist consonantisch auslautenden — stamm:

Stamm *es* „sein" : *és-mi, s-més.*

2. Die **reduplicierende klasse.** Der erste radikal wird mit einem vokale, welcher ursprachlich wohl immer *i* war, der wurzel vorgeschlagen:

Stamm *gä* „gehen" : *g'i-gä́-mi, g'i-gä-més.*

3. Die **nasal-klasse.** Vor den stammesauslaut wird ein

nasal eingeschoben, welcher in den starken stammesformen als *né*, in den schwachen als *n* erscheint.

Drei arten von stämmen giebt es, welche auf diese weise durch einen nasal erweitert werden:

a) Der stamm lautet auf einen consonanten aus. Er hat stets schwache form, da der accent auf dem infigierten *né* oder auf der endung ruhte:

Stamm *pṛk*, voll *pérko* „füllen" : *pṛ-né-k-mi*, *pṛ-n-k-més*.

„ *lik*, voll *léiko* „lassen" : *li-né-k-mi*, *li-n-k-més*.

„ *jug*, voll *jéugo* „verbinden" : *ju-né-g-mi*, *ju-n-g-més*.

b) Der stamm endigt auf -*ă*:

Stamm *damă* „bändigen" : *dam-né-ă-mi*, *dam-n-ă-més*.

c) Der stamm endigt auf -*ŭ*:

Stamm *strŭ* „streuen" : *stṛ-né-ŭ-mi*, *stṛ-n-ŭ-més*.

1. Die wurzelklasse.

Dieselbe ist nur durch wenige indogermanische beispiele vertreten.

§ 13.
és-mi „ich bin".

1. Indicativ praesentis.

	Ssk.	Zd.	Griech.	Lat.	Altbulg.	Lit.	Got.
S. 1.	*ásmi*	*ahmi*	*ἐhμί*	*sum*	*jesmĭ*	*esmì*	*im*
			(= *ἐσμί*)				(= *is-m*)
2.	*ási*	*ahi*	*ἐσσί, εἶ*	*es*	*jesi*	*esì*	*is*
3.	*ásti*	*aṣti*	*ἐστί*	*est*	*jestŭ*	*ésti*	*ist*
	(= *asti*)						
D. 1.	*srás*	—	—	—	*jesvě*	*ésva*	*siu*
							(= *sinr*,
							sinvi)
2.	*sthás*	—	*ἐστόν*	—	*jesta*	*ésta*	*siuts*
							(= *siuthis*)
3.	*stás*	*ṣtó*	*ἐστόν*	—	*jeste*	—	—
Pl. 1.	*smás*	*mahi*	*ἐσμές*	*sumus*	*jesmŭ*	*ésme*	*sium*
	(= *hmahi*)						(= *sinmi*)

Ssk.	Zd.	Griech.	Lat.	Altbulg.	Lit.	Got.
2. *sthá*	*çtá*	*ἐστέ*	*estis*	*jeste*	*éste*	*siuþ*
3. *sánti*	*heñti*	*ἐντί*	*sunt*	*sętŭ*	—	*sind*
	ion. *εἰσί*, hom. *ἔασι*.					

Bemerkungen.

1. Ueber die endungen der *mi*-conjugation gilt im allgemeinen das zur thematischen conjugation bemerkte.

2. Die endung -*mi* in der 1. sg. war speciell den nichtthematischen praesentibus eigentümlich; die thematischen praesentia haben sie erst von diesen entlehnt. Sie ist, wie wir später sehen werden, jüngeren ursprungs und erst nach dem verhältnisse der sekundären endungen *s* und *t* zu *si* und *ti* von dem sekundären *m* aus neu gebildet.

3. Die ursprachliche form der 2. pers. sing. lässt sich nicht reconstruieren. Das arische *ási* (ssk. *ási* = zd. *ahi*) wird schwerlich aus *ás-si* verkürzt sein, da diese form wohl zu *át-si* hätte werden müssen.

Mit dem litauischen *esí* ist *ási* sehr wahrscheinlich deshalb nicht identisch, weil die gleiche form im Altbulgarischen *jesi* lautet. Da aus slavolettischem *esséi* im Litauischen *esi* werden musste, so liegt es doch zweifellos näher, die altbulgarische und die litauische form mit einander zu verbinden.

Endlich lässt sich nicht einmal die identität von griech. *εἶ* und ssk. *ási* behaupten. *εἶ* braucht nämlich nicht notwendig aus *ἐ(σ)ἰ* contrahiert zu sein, sondern kann auch auf ein mediales *ἔσαι*, *ἔει* (vgl. *βούλει*, *ὄψει*) zurückgehen. Die formen got. *is* und latein. *es* lassen sich sowohl auf *esi* wie auf *essi* = gr. *ἐσσί* zurückführen (*essi : *ess : es*).

Die altbulgarische form *jesi* ist wahrscheinlich medialform und steht für *jes-si* = idg. *es-sei*. Aus *ss* wurde im Slavischen einfaches *s*. Dass *jesi* nicht etwa aus *jesě* = idg. *es-sai* verkürzt ist, was an und für sich denkbar wäre (vgl. *beri* „trage" aus *berě*, *berěs* = idg. *bhérois*), beweist das thematische *bereši*, welches nur aus *bere-chi* = idg. *bhére-sei*, nicht aber aus *bere-chě* = idg. *bhére-sai* entstanden sein kann.

4. Die griechischen formen *ἔμμι* (aeol.), *ἠμί* (dorisch)

6

und εἰμί (ionisch) können nicht direkt aus *ἐσμί entstanden sein, da die lautverbindung -σμ- keinen grund zur umgestaltung bot. Vielmehr ist σ vor μ — ebenso wie im Avesta — zunächst zum hauchlaute *h* geworden: *ἐh-mi*. Dieser musste sich, wie alle spiranten, dem benachbarten nasale assimilieren und so entstand aeol. ἔμμι, dor. ἠμί, ion. εἰμί.

5. Im Griechischen und Slavischen wurde der starke stamm der singularpersonen auch auf den dualis und die beiden ersten personen des pluralis übertragen (ἐ-σμές für *σ-μές, jes-mŭ für *s-mŭ). Der gotische plural und dual besteht, mit ausnahme der 3. plur., eigentlich aus aoristformen. Nur begreift man nicht, aus welchem grunde eine form *izum (= gr. *ἔαμεν, ssk. ásma), die wir wohl für das Urgotische auf grund des altnordischen *erum* voraussetzen dürfen, in *s-i-um* umgewandelt ist. Vielleicht hat den anlass zu dieser neubildung die 3. plur. *sind* gegeben. Uebrigens ist auch griech. ἔασι erst vom aoriste ἔαν aus neu geschaffen.

6. Der ursprachliche accent der drei personen des singulars ist auf europäischem boden in lit. *ésti* und gr. ἔστι „er existiert", der ursprachliche accent des duals und plurals (mit ausnahme der 3. plur.) im Griechischen erhalten.

Ursprachliches paradigma.

S. 1.	*és-mi*	2. Unbestimmt.	3. *és-ti*
D. 1.	*s-vés*	2. *s-thés*	3. *s-tés*
P. 1.	*s-més*	2. *s-thé*	3. *s-énti.*

2. Conjunktiv praesentis.

Erhalten ist derselbe nur im Veda, Avesta und im Griechischen.

Das charakteristische des conjunktivs der nichtthematischen praesentia besteht darin, dass zwischen stamm und endung ein *ŏ* (in den ersten personen und der 3. plur.) oder *ĕ* (in den zweiten und den übrigen dritten personen) eingeschoben wird. Ein derartiger conjunktiv zu *ésmi* existiert nur im Arischen. Belegt sind von ihm folgende formen:

Veda: S. 2. *ás-a-si,* 3. *ás-a-ti,* D. 2. *ás-a-thas,* Pl. 2. *ás-a-tha.*

Avesta: S. 3. *aṅh-ai-ti*

(gewöhnl. *aṅh-ai-ti*).

Combinieren wir diese formen mit den sonst überlieferten conjunktiven nichtthematischer praesentia, so erhalten wir folgende ursprachliche gestalt des conjunktivs:

S. 1. *és-o-mi* 2. *és-e-si* 3. *és-e-ti*

D. 1. *és-o-ves* 2. *és-e-thes* 3. *és-e-tes*

P. 1. *és-o-mes* 2. *és-e-the* 3. *és-o-nti.*

Seltsamer weise scheint der conjunktiv der nichtthematischen praesentia bereits ursprachlich die stammabstufung (*és-e-ti,* aber **s-o-més,* *s-e-thés u. s. w.) entweder aufgegeben oder nicht besessen zu haben.

Der griechische conjunktiv

ἔ(σ)ω, ἔ(σ)ῃς, ἔ(σ)ῃ, ἔ(σ)ητον, ἔ(σ)ωμες, ἔ(σ)ητε, ἔ(σ)ωντι

gehört zu einem thematischen praesens *ésō,* das bereits ursprachlich existiert hat, vgl. lit. *esù,* ssk. *ásâma* u. a. Ich komme auf diese doppelstämme später zurück.

3. Indikativ imperfecti.

	Ssk.	Zd.	Altp.	Griech.	Lat.
S. 1.	*á'sam*	—	*áham*	ep. ἦα, ἔα, ἦ, ἦν, ἔον	*eram*
2.	*á'sîs*	—	—	ἦς, ἦσ-θα, ἔας	*eras*
3.	Ved. *ás*	*aç, áç*	*áha*	dor. ἦς, gemeingr. ἦν,	
	á'sît	—		homer. ἦεν, ion. ἔην	*erat*
D. 1.	*á'sva*	—	—	—	—
2.	*á'stam*	—	—	ἦστον	—
3.	*á'stâm*	—	—	ἦστᾱν	
P. 1.	*á'sma*	—	—	ἦμεν	*eramus*
				(aus *ἦημεν)	
2.	*á'sta*	—	—	ἦστε, ἔατε Hdt., ἦτε	*eratis*
3.	*á'san*	[*áç*]	*áha*	ἦν, ἴσαν, boeot. εἶαν	*erant.*

Bemerkungen.

1. Im imperfectum war der starke stamm bereits ursprachlich in allen personen durchgeführt.

2. Das imperfectum setzte sich bereits ursprachlich aus formen dreier verschiedener gattungen zusammen: 1) aus

5*

formen, die zum nichtthematischen praesens *ésmi* gehörten;
2) aus formen des thematischen praesens *ésō, ésesi* u. s. w.;
3) aus formen eines thematischen *a*-aoristes *ésa*.

Bei mehreren formen ist es unmöglich zu bestimmen, welcher
dieser drei kategorieen sie angehören, da ihre laute eine verschiedene deutung zulassen.

Sicher gehören einem thematischen *a*-aoriste an die
indischen formen *á'sis, á'sit* (= idg. *é-esa-s, é-esa-t*), ferner
das boeotische εἶαν, welches auf älteres ἶαν = ἦ(σ)αν zurückgeht (überliefert ist παρεῖαν = att. παρῆσαν Coll. Samml.
482 5 ᷾6, 488 52, 501 6), die herodoteisch-ionischen formen ἔας,
ἔατε (= ἦτε?) und endlich das ganze lateinische imperfectum.
Auch der *sa*-aorist ἦσαν = *ἦσσαν beruht auf einem *a*-
aoriste ἦαν, ebenso wie z. b. kypr. κατέθισαν Coll. Samml. 20 ᷾2
auf κατέθιjαν 60 ᷾27.

Beide formen, in welchen die 1. sg. erscheint, nämlich ἦα
und ἦν, sind aus idg. *é-es-m̥* entstanden und gehören somit
zum nichtthematischen imperfectum. ἦα stand ursprünglich
vor consonantischem, ἦν vor vokalischem anlaute.

Die homerische 3. sg. ἦεν lässt sich weder zum thematischen *a*-aoriste noch zum thematischen imperfectum ziehen,
da das schliessende ν derselben nicht fehlen und also nicht
das paragogische ν sein kann. ἦεν scheint vielmehr ursprünglich die 3. pers. plur. gewesen zu sein und sich mit dem arischen *á'san* zu decken (vgl. p. 69 oben). Aus ἦεν musste
ionisch ἔην und hieraus mit contraktion ἦν werden.

Zu diesem thematischen imperfectum gehört sicher
nur die homerische form ἔον, die altpersische 3. sg. *áha* kann
auch dem ἦεν oder dem vedischen perfekte *á'sa* entsprechen.
Mit ἔον ist möglicherweise identisch ssk. *á'sam* = altp. *áham*
und mit *ἔον als 3. pl. *á'san* = altp. *áha*. Beide formen lassen
aber eine andere deutung zu. *á'sam* kann nämlich auch aus
á'sm̥ = idg. *é-es-m̥* entstanden sein. Dass ein indogermanisches tönendes *m̥* (nasalis sonans *m̥*) im Arischen nicht zu *a*,
sondern zu *am* wird, erwähnte ich p. 17: *bhareyam* =
bhara-i̯-m̥, *pádam* = gr. πόδα. Also lässt sich die gleichung *á'sam* = gr. ἦν sehr wohl halten.

Was ferner die 3. plur. *á'san* anbetrifft, so kann diese
nicht nur auf *éson*, sondern auch auf *ésen* zurückgehen. In

den dritten personen plur. der auf consonanten auslautenden nichtthematischen stämme treten nämlich die endungen -*nti*, -*nt* nicht an den consonantischen stamm, sondern zwischen stamm und endung wird ein *e* eingeschoben, oder, besser gesagt, es treten nicht die schwachen endungen -*nti*, -*nt*, sondern die starken endungen -*énti*, -*ént* an den stamm. Einem *s-énti* des indikativs praes. entspricht also regelrecht ein *é-s-ent* oder mit starkem stamme *é-es-ent* im imperfectum. Deuten wir *á'san* als *é-es-en*, dann können wir es gleichsetzen mit der dorischen 3. plur. $\tilde{\eta}\nu$ und der homerischen 3. sg. $\tilde{\eta}\varepsilon\nu$ = *$\tilde{\eta}\sigma\varepsilon\nu$*, welche ich bereits erwähnte.

Mit sicherheit lassen sich also nur folgende formen dem nichtthematischen imperfectum zuweisen:

S. 2. $\tilde{\eta}\varsigma$ aus *é-es-s*. 3. $\tilde{\eta}\varsigma$ = ssk. *âs* = zd. *âç* aus *é-es-t*.

D. 1. *á'sva* aus *é-es-ve*. 2. *á'stam* = $\tilde{\eta}\sigma\tau o\nu$ aus *é-es-tom*.

3. *á'stâm* = $\tilde{\eta}\sigma\tau\bar\alpha\nu$ aus *é-es-tâm*.

P. 1. *á'sma* = $\tilde{\eta}\mu\varepsilon\nu$ aus *é-es-me*. 2. *á'sta* = $\tilde{\eta}\sigma\tau\varepsilon$ aus *é-es-te*. Wahrscheinlich sind auch *á'sam* und *á'san* = $\tilde{\eta}\nu$ nichtthematisch gebildet.

3. Zu den griechischen formen bemerke ich:

S. 1. $\tilde{\eta}\alpha$, $\check{\varepsilon}\alpha$ (ohne augment) und $\check{\varepsilon}o\nu$ (*A* 672, *Ψ* 643) sind homerisch, $\tilde{\eta}$ altattisch.

S. 2. $\tilde{\eta}\varsigma$ ist selten. Die form $\tilde{\eta}\sigma$-$\vartheta\alpha$ ist durch die ursprünglich nur dem perfectum zukommende endung -$\vartheta\alpha$ aus $\tilde{\eta}\varsigma$ erweitert.

S. 3. Die form $\tilde{\eta}\varsigma$ ist als dorisch bezeugt. Indessen war sie urgriechisch. $\tilde{\eta}\nu$ ist eigentlich die dritte person pluralis. Sie vertritt die dritte person des singularis, ebenso wie umgekehrt im Avesta die dritte person des singulars zugleich für den plur. gebraucht wird.

P. 1. $\tilde{\eta}\mu\varepsilon\nu$ steht für $\tilde{\eta}\eta\mu\varepsilon\nu$, wie aeol. $\check{\varepsilon}\mu\mu\iota$ für $\check{\varepsilon}\eta\mu\iota$.

P. 2. $\tilde{\eta}\tau\varepsilon$ — wenn überhaupt richtig überliefert und nicht in $\tilde{\eta}\sigma\tau\varepsilon$ zu ändern — ist aus $\check{\varepsilon}\alpha\tau\varepsilon$ contrahiert. Es könnte auch eine analogiebildung nach $\tilde{\eta}\mu\varepsilon\nu$, $\tilde{\eta}\nu$ sein.

P. 3. Die form $\tilde{\eta}\nu$ ist überliefert in Hesiod's Theog. 321, 825, in Aristophanes' Lysistrate 1260 (im lakonischen chorliede) und an mehreren stellen des Epicharm. Sie scheint also — ebenso wie das $\tilde{\eta}\varsigma$ des singulars — speciell den westgriechischen dialekten eigentümlich gewesen zu sein.

Dieses nebeneinanderliegen von 3. sg. $\tilde{\eta}_{\varsigma}$ und 3. pl. $\tilde{\eta}\nu$ bei den Dorern bietet den sicheren beweis dafür, dass das gemeingr. $\tilde{\eta}\nu$ in der 3. sg. ursprünglich pluralform war.

Das σ in der aoristform $\tilde{\eta}\sigma\alpha\nu$ ist wahrscheinlich aus $\sigma\sigma$ verkürzt. Wenigstens lesen wir $\check{\varepsilon}\sigma\sigma\alpha\nu$ in einem fragmente des Alcaeus (bei Bergk 91) "Αρχαδες ἔσσαν βαλανηφάγοι. Nach langem vokale wurde $\sigma\sigma$ bereits in urgriechischer zeit zu σ vereinfacht.

4. Das t in $\bar{e}s\text{-}t$ 3. sg. war bei der sprachtrennung noch lebendig, da aus idg. $\bar{e}s$ im Avesta *ào* hätte werden müssen.

Ursprachliches paradigma.

S. 1. $\acute{e}$-$\bar{e}s$-ηi, $\bar{e}'s$-ηi 2. $\acute{e}$-$\bar{e}s$-s, $\bar{e}'s$-s 3. $\acute{e}$-$\bar{e}s$-t, $\bar{e}'s$-t

D.1. $\acute{e}$-$\bar{e}s$-ve, $\bar{e}'s$-ve 2. $\acute{e}$-$\bar{e}s$-tom, $\bar{e}'s$-tom 3. $\acute{e}$-$\bar{e}s$-$t\check{a}m$, $\bar{e}'s$-$t\check{a}m$

P. 1. $\acute{e}$-$\bar{e}s$-me, $\bar{e}'s$-me 2. $\acute{e}$-$\bar{e}s$-te, $\bar{e}'s$-te 3. $\acute{e}$-$\bar{e}s$-$en(t)$, $\bar{e}'s$-$en(t)$.

Natürlich kann das augment stets fehlen.

---

4. Conjunktiv imperfecti.

Als imperative fungieren die formen

    D. 2. Ssk. $st\acute{a}m$, gr. ἔστον.

    P. 2. Ssk. $st\acute{a}$, gr. ἐστε, lat. *este*.

Wahrscheinlich ist, wie ich beim thematischen praesens ausgeführt habe, auch die 3. dual. des imperativs $st\acute{a}m$ eine conjunktivform und mit einem griechischen *ἔσταν, nicht mit ἔστων zu identificieren.

Einen mit den vokalen ŏ und ĕ gebildeten conjunktiv imperfecti kennt nur der Veda und das Zend:

    Ved. S. 2. $\acute{a}s$-a-s, av. $a\dot{n}h\acute{o}$ (= *$a\dot{n}h$-a-s), idg. $\acute{e}s$-e-s

          3. $\acute{a}s$-a-t, $a\dot{n}h$-a-t, $\acute{e}s$-e-t

      P. 3. $\acute{a}s$-a-n, $a\dot{n}h$-e-n (= *$a\dot{n}h$-a-n), $\acute{e}s$-o-nt.

Nicht zu $\acute{e}smi$, sondern zu dem thematischen $\acute{e}s\bar{o}$ gehört die vedische form $\acute{a}s\bar{a}ma$, welche genau dem griechischen praesentischen ἔωμεν entspricht.

5. Optativ.

	Ssk.	Zd.	Griech.	Lat.	Got.
S. 1.	$sy\acute{a}m$	$qy\acute{e}m$	εἴην	$si\acute{e}m$	$siau$

Ssk.	Zd.	Griech.	Lat.	Got.
S. 2. *syā́s*	*qyáo*	*εἴης, ἔοις*	*siés*	*siais*
3. *syā́t*	*qyát, hyát*	*εἴη, ἔοι*	*siét*	*siui, sai*
D. 1. *syā́va*	—	—	—	*siaiva*
2. *syā́tam*	—	—	—	*siaits*
3. *syā́tām*	—	*εἴτᾱν*	—	—
P. 1. *syā́ma*	*qyámá*	*εἴημεν, εἴμεν*	*simus*	*siaima*
2. *syā́ta*	*qyátá*	*εἴητε, εἴτε*	*sitis*	*siaiþ*
3. *syús*	*qyén, hyãn*	*εἴεν*	*siéut*	*siaina.*

Bemerkungen.

1. Das moduskennzeichen des optativs war *iē*. Ruhte der accent auf der endung, so wurde dasselbe zu *i* verkürzt. Ob dieses *ī* aus *iē* oder *iā* contrahiert ist, lasse ich dahin gestellt. Für eine flexionslehre ist diese frage auch völlig indifferent. Wir haben uns einfach an die tatsache zu halten, dass als schwächung von *iē* in allen sprachen *ī* erscheint.

2. Die griechischen formen *εἴμεν, εἴτᾱν, εἴτε* sind aus *ἔ-ῑ-μεν, *ἐ-ῑ-τᾱν, *ἔ-ῑ-τε* contrahiert. Ueber das ε siehe die bemerkung 4. In *εἴημεν, εἴητε* ist ebenso wie in den arischen formen *syā́ra* statt *sivá, syā́ta* statt *sitá* u. s. w. die starke form des moduskennzeichens aus den singularformen entlehnt. Im Lateinischen endlich können *simus* und *sitis* ebensowohl aus *siēmus, siētis* contrahiert (vgl. *sim = siēm, sis = siés* u. s. w.) wie ursprachliche formen mit schwachem moduskennzeichen sein.

Jedenfalls müssen wir bei dem hohen alter von *εἴημεν, εἴητε* (Herod.) die möglichkeit offen lassen, dass bereits ursprachlich das volle moduskennzeichen ohne rücksicht auf den accent in allen personen durchgeführt war.

3. Das elische *εἴαν* ist nicht etwa eine besonders altertümliche form, sondern erst aus *εἴεν* entstanden. In gleicher weise hat das beim thematischen praesens besprochene elische *ἀποτίνοιαν* unter dem einflusse des nasals ein α für ε angenommen.

Für das gemeingriechische *εἴεν* lassen sich zwei erklärungen vorbringen: entweder ist *εἴεν* aus *εἴην(τ)* verkürzt, oder es ist mit der sekundären endung *-ent* gebildet, die wir bereits beim indikativ imperfecti kennen lernten. Iu letzterem falle würde εἶεν für *ἐ-ῐ-εν stehen.

Dass siē'nt sehr wahrscheinlich die ursprachliche form war, beweist die übereinstimmung von zd. *hyān* und altlat. *siēnt* (für *siēnti* mit primärer endung).

4. Die griechischen formen εἴῃν, εἴῃς etc. sind nicht etwa, wie Brugmann, Grundriss I, 119 vermutet, aus *ἐσῐῄν, *ἐσῐῄς hervorgegangen. Denn dann dürfte Homer jene formen nicht zweisilbig messen. Die urgriechischen formen waren vielmehr *ῐῄν, *ῐῄς mit verlust des aulautenden σ. Diesen wurde unter dem einflusse der übrigen modi ein ε vorgeschlagen, so dass nun *ἐ-ῐῄν allerdings vom starken stamme ἐσ- gebildet zu sein schien, während tatsächlich niemals ein σ zwischen ε und ι ausgefallen war.

5. Die griechischen formen ἔοις, ἔοι, welche sich bei Homer finden, und der ganze gotische optativ gehören zu dem thematischen praesens ἔσō. Interessant ist die übereinstimmung von ἔοι und got. *sai* 2. Corinth. 12, 16.

6. Schwierig ist die erklärung des *i* in den gotischen formen. Schleicher's vermutung (Comp.[1] 552), dass der optativstamm *s-ia-* = *s-ịa-* als thematischer praesensstamm aufgefasst und deshalb zur basis eines neuen, thematischen, mit *i* gebildeten optativs genommen sei, ist deshalb nicht zu halten, weil das moduselement des optativs der nichtthematischen praesentia im Gotischen nur als *jé* oder geschwächt als *ei* = idg. *ī* auftreten konnte. Zudem beweist die gleichung ἔοι = got. *sai*, dass *sai* die ältere, *siai* die jüngere form war.

Das *si-* im optativ ist nicht anders zu beurteilen als im indikativ: *sium, siuþ*. Die grundformen werden auch im optative *izais, *izai gewesen sein, das erwähnte *sai* bildete vielleicht eine übergangsform. Weshalb man das *i* im optative nicht vor *sai* gelassen, sondern hinter *s* eingeschoben hat, lässt sich nicht mit sicherheit sagen. Vielleicht ist hierfür der indikativ massgebend gewesen.

Ursprachliches paradigma.

S. 1. *s-iḗ-m*   2. *s-iḗ-s*   3. *s-iḗ-t*

D. 1. *s-ié-ve* 2. *s-ié-to m* 3. *s-ié-tām*
älter *s-i-vé* *s-i-tóm* *s-i-tám*
P. 1. *s-ié-me* 2. *s-ié-te* 3. *s-ié-n(t)*
älter *s-i-mé* *s-i-té*.

6. Imperativ.

S.	Ssk.	Zd.	Griech.	Lat.
2.	*edhí*	*zdi*	*ἴσϑι* jünger *ἔσϑι*	*es*
	—	—	*ἔστω*	*estód*
3.	*ástu*	*aztu, aztú*	*ἔστω*	*estód*
D. 2.	[*stám*]	—	[*ἔστον*]	—
3.	[*stám*]	—	*ἔστων*	—
P. 2.	[*stá*]	—	[*ἔστε*]	[*este*]
	—	—	—	*estóte*
3.	*sántu*	*heñtú*	*ἔντων, ἔστων* und *ἐόντω*.	*suntó*

Bemerkungen.

1. Die in klammern gesetzten formen sind conjunktive imperfecti. Auch ar. *stá'm* fasse ich als idg. *s-tá'm*, nicht als *s-tó'm*, vgl. die bemerkungen zum conjunktive imperfecti.

2. Das indische *edhí* ist aus *a+s̆dhí* entstanden. Die erscheinung, dass von einem klingenden consonanten nur *i* übrig bleibt, ist im indischen perfectum durchgehend: *sêdimá* = **sa-z̆di-má*, **säizdimá*, *pécimá* = **pa-p̃ci-má*, **päipcimá*.

3. Die übrigen endungen habe ich bereits beim thematischen praesens besprochen. Ssk. *sántu* = idg. *s-éntu* und gr. *ἔντων* = idg. *s-éntōm* sind ebenso wie *s-énti* zu beurteilen. Die 3. plur. *ἔντων* (mit der medialen endung *-ντων*) ist aus Creta überliefert. Arc. *ἐόντω* gehört zum thematischen praesens *ἔ(σ)ω*.

ἔστων, eine form, welche in attischer prosa vereinzelt für das gewöhnliche *ἔστωσαν* gebraucht wird (vgl. Curtius, Griech. verb II², 63), ist eigentlich die 3. dual. und fungiert als solche noch bei Homer *A* 338 (dagegen bereits als 3. plur. *α* 273).

Ursprachliche formen.

S. 2. s̄-dhí, starke form s-tö́t?

---

7. Participium.

Ssk.	Griech.	Latein.
	Starker stamm:	
sánt-	ἐντ-	sent- (in absens).
	Schwacher stamm:	
sat-	*(σ)ντ-, ἀτ̇-	sent-?

Bemerkungen.

1. Ob das lateinische sent- in den obliquen casus starker oder schwacher stamm ist, lässt sich nicht entscheiden.

2. Das femininum wurde durch anfügung der endung j́a an den schwachen stamm gebildet:
ssk. satí(= *sn̥tí) = gr. ἔασσα (= ἐ-σντ-ιά mit vorgeschlagenem ε).

Das masculinum hat im Griechischen den schwachen stamm ganz aufgegeben, vgl. ἔντασσι tab. Heracl. I, 104, παρέντων Alcaeus, frag. 64.

Ursprachliche flexion.

Nom. sént-(s), neutr. sént, femin. sn̥t-j́á.
Gen. sn̥tós,   sn̥t-j́ā́-s.
Loc. sn̥tí,   sn̥t-j́a-i.
Acc. sént-m̥,   sént,   sn̥t-j́á-m.
Das griechische ἔων gehört zu dem thematischen ἐ(σ)ω.

8. Infinitiv.

Formen, welche sich deckten, sind nicht überliefert.

Da indessen, wie ich beim thematischen infinitive ausführte, im Ssk. die endung der nichtthematischen stämme auch -mane war (vgl. dá́-mane, vid-máne, bhár-mane), so dürfen wir wohl ein *ás-mane ansetzen, welches genau dem aeolischen ἔμμεναι entsprechen würde.

Ursprachlich és-menai.

Weniger genau entspräche einem *ásase (überliefert sind áyase,

jiváse, dohása und viele andere) das lateinische nichtthema
tische es-se.

Gr. εἶναι, ἦναι ist entweder aus *ἐh-ναι = *ἐσ-ναι oder
aus *ἐσέναι entstanden, vgl. ἰέναι.

§ 14.
éimi „ich gehe".

1. Indikativ praesentis.

	Ssk.	Zd.	Griech.	Latein.	Lit.
S. 1.	émi	—	εἰμι	[eo]	eimi
2.	éshi	—	εἰ, εἰσθα	is	eisi
			aus *εἰσι, *εἰι		
3.	éti	áiti, aéiti	εἰσι	it	eiti, eit
			älter εἰτι		
D. 1.	ivás	—	—	—	eiva
2.	ithás	—	ἴτον	—	—
3.	itás	—	ἴτον	—	—
P. 1.	imás	—	ἴμεν	imus	eime
2.	ithá	—	ἴτε	itis	eiste
3.	yánti	yanti, yeinti	ἴασι	[eunt]	—
			= ἴα-ντι.		

Bemerkungen.

1. Im Altbulgarischen ist éimi ganz untergegangen.

2. Die litauische betonung der beiden ersten personen
ist — ebenso wie in esmi — nicht ursprünglich. Im plural
hat das Litauische den starken stamm ganz durchgeführt.

3. Im Lateinischen liegen thematische und nichtthe
matische formen neben einander. Thematisch gebildet sind
sicher eo = *eio und eunt, alt *eonti = *eionti. Dagegen
können is, imus, itis nur zur nichtthematischen klasse ge
hören, da aus *eiis und *eiimus wohl eis und eimus hätte
werden müssen.

4. Neben εἰ liegt im Griechischen die mit der perfekt
endung -θα gebildete form εἰσθα. Das σ derselben ist an
organisch und wird sehr wahrscheinlich per analogiam aus

formen wie $\delta i\delta o\iota\sigma\vartheta\alpha = {}^{*}\delta i\delta o\iota\varsigma + \vartheta\alpha$, $\tau i\vartheta\eta\sigma\vartheta\alpha = {}^{*}\tau i\vartheta\eta\varsigma + \vartheta\alpha$ entlehnt sein.

5. Die dritte sing. lautete urgriechisch $\epsilon\tilde{\iota}\tau\iota$, erhalten bei Hesych $\check{\epsilon}\xi\epsilon\iota\tau\iota\cdot\ \check{\epsilon}\xi\epsilon\lambda\epsilon i\sigma\epsilon\tau\alpha\iota$. Diese form muss in historischer zeit bei allen westgriechischen stämmen, welche bekanntlich ein idg. t vor i nicht zu σ assibilierten, in gebrauch gewesen sein. $\epsilon\tilde{\iota}\sigma\iota$ war eine speciell ionisch-achäische form.

6. Bemerkenswert ist die 3. plur. des Griechischen. Hier sollten wir, dem indischen _yánti_ und dem griechischen $\check{\epsilon}\nu\tau\iota$ „sie sind" ($= {}^{*}\sigma\acute{\epsilon}\nu\tau\iota$) entsprechend ein ${}^{*}\check{\iota}\acute{\epsilon}\nu\tau\iota$, ${}^{*}\check{\iota}\epsilon\tilde{\iota}\sigma\iota$ erwarten ($\check{\iota}\acute{\epsilon} =$ ssk. _yá_ $=$ idg. _i̯é_ nach dem Fick'schen gesetze, wonach $\check{i}$ vor dem hochtone als ι im Griechischen erscheint). $\check{\iota}\check{\alpha}\sigma\iota = \check{\iota}\alpha\nu\tau\iota$ ist wahrscheinlich eine von dem imperfectum $\check{\iota}\ddot{\iota}\alpha\nu$ ausgegangene neubildung. In gleicher weise wurde, wie wir p. 66 sahen, von dem imperfectum oder vielmehr dem _a_-aoriste $\check{\epsilon}\alpha\nu$ aus ein $\check{\iota}\check{\alpha}\sigma\iota = {}^{*}\check{\iota}\ddot{\epsilon}\alpha\nu\tau\iota$ gebildet.

Ursprachliches paradigma.

S. 1. _éi-mi_	2. _éi-si_	3. _éi-ti_
D. 1. _i-rés_	2. _i-thés_	3. _i-tés_
P. 1. _i-més_	2. _i-thé_	3. _i̯-énti_

2. Conjunktiv praesentis.

Im Veda und Avesta zufällig nicht überliefert. Nach _ásasi, ásati_ etc. zu schliessen, müssen die urarischen formen ${}^{*}\acute{a}yasi$, ${}^{*}\acute{a}yati$ gelautet haben.

Im Griechischen ist nur ein einziger rest des conjunktivs in dem homerischen $\check{\iota}$-_o-μεν_ erhalten. Das ι, von natur kurz, erscheint unter dem versictus gedehnt.

Freilich ist es noch zweifelhaft, ob $\check{\iota}o\mu\epsilon\nu$ wirklich die ursprüngliche form der 1. plur. des conjunktivs representiert, da im Arischen in dem conj. praes. der nichtthematischen praesentia die starke stammesform ganz durchgeführt ist: _ás-a-si, ás-a-ti, ás-a-n._

Die gemeingriechischen formen $\check{\iota}\omega$, $\check{\iota}o\mu\epsilon\nu$, $\check{\iota}_{\iota}\tau\epsilon$, $\check{\iota}\omega\nu\tau\iota$ sind nachträgliche neubildungen nach der thematischen flexion. Alt können sie deshalb nicht sein, weil sie den schwachen

stammesvokal aus dem nichtthematischen praesens entlehnt
haben.

3. Indikativ imperfecti.

	Ssk.	Zd.	Altpers.	Griech.
S. 1.	*á'yam*	—	*nij-áyam*	*ἤϊα* [*ἤειν*]
2.	*á'is*	—	—	[*ἤεις, ἤεισθα*]
3.	*á'it*	*áit*	—	*ἤε, ἤϊε* [*ἤει, ἤειν*]
	(daneben *áyat*)			
D. 1.	*á'iva*	—	—	—
2.	*á'itam*	—	—	*ἤϊτον*
3.	*á'itām*	—	—	*ἤϊτᾱν, ἴτᾱν*
P. 1.	*á'ima*	—	—	*ἤϊμεν, ἤομεν*
2.	*á'ita*	—	—	*ἤϊτε*
3.	*á'yan*	—	*apariy-áya*	*ἤϊσαν, ἴσαν.*
			(für **áyan*)	

Bemerkungen.

1. Der indikativ imperfecti entspricht in seiner composition genau dem von *ésmi*, so dass ich auf die dort gemachten bemerkungen verweisen darf.

Auf einen thematischen *a*-aorist gehen sicher zurück die formen *ἤϊσαν* und *ἴσαν* (über letztere form, sowie über *ἴτᾱν* siehe bemerk. 2).

Dagegen ist *ἤϊα* = *é-ei̯-m* die nichtthematische — ursprünglich nur vor folgendem vokale gebrauchte — imperfektform. *ἤϊε* lässt sich sowohl mit *ἤϊα* verbinden und zum *a*-aoriste, als auch zum thematischen imperfectum ziehen.

Zum thematischen imperfectum *éi̯ö* gehören sicher zd. *áyat*, vedisch *áyata* 3. sg. med. und homer. *ἤομεν*. Ungewiss bleibt die erklärung von *á'yam* und *á'yan*. Beide formen können sowohl vom thematischen (*á'yam* = **ἤϊον*, *á'yan* = **ἤϊον*, idg. *é-ei̯o-m*, *é-ei̯o-nt*), wie vom nichtthematischen stamme (*á'yam* = *é-ei̯-m*, *á'yan* = *é-ei̯-en*) abgeleitet sein.

Die übrigen formen sind vom nichtthematischen stamme gebildet.

2. *ἴτᾱν* und *ἴσαν* sind erst jüngere bildungen, die wahr-

78

scheinlich von den indikativformen des praesens ἴτον und ἴᾱσι ausgegangen sind.

3. Analogiebildungen nach dem plusquamperfectum sind ᾔειν, ᾔεις, ᾔεισθα, ᾔειμεν, ᾔειτε, ᾔεσαν.

4. Einen exkurs erfordern die griechischen formen ἤϊα und ἤϊε. Fick hat in BB. IX, p. 317 ff. über die verteilung von ι und jot — ursprachlichem i̯ im Griechischen gehandelt und dafür das gesetz aufgestellt, dass ein ursprachliches i̯ im Griechischen als ι erscheint, wenn der accent ursprünglich folgte, dagegen als j, wenn der accent ursprünglich vorher-ging. Diesem gesetze würde eine form wie ἤϊα widersprechen. Denn hier hat der accent bereits ursprachlich auf der ersten silbe gelegen, und es erscheint trotzdem ι, nicht jot. Prüfen wir also, ob das gesetz in der von Fick formulierten fassung richtig ist.

Zweifellos richtig ist es, dass, wenn der accent folgte, i̯ als ι im Griechischen erschien, vgl. βασιλείᾱ „die königs-herrschaft" = *βασιλει̯ά, vgl. ssk. lakshmî „glück, herrschaft", ἰδίω „ich schwitze" aus *ἰδι̯ώ, φαίνω, welches nur aus *φα-νι̯ώ, nicht aus *φάνϳω entstanden sein kann. Andere beispiele sehe man bei Fick a. a. o.

Dagegen lässt sich Fick's behauptung, dass, wenn der accent dem i̯ vorherging dasselbe als j erscheinen und dem-entsprechend entweder dem benachbarten consonanten assimi-liert oder zwischen vokalen ausfallen musste, in dieser fassung nicht halten. In allen beispielen, welche Fick für diese erscheinung anführt, geht dem i̯ nur eine silbe voran, z. b. κνήω = *κνηϳω (daneben κναίω = *κναι̯ώ). Nun finden wir aber, dass in denjenigen worten, in welchen dem i̯ mehr als eine silbe vorangeht und in welchen der accent auf einer dieser dem i̯ vorhergehenden silben ruht, das i̯ nur dann als j erscheint, wenn die unmittelbar vorangehende silbe den accent trägt, dagegen als ι, wenn die — vom ende des wortes aus gerechnet — drittletzte silbe hochbetont ist. Bei-spiele: att. χρυσέος, χρυσοῦς aus *χρυσέι̯ος. Aeol. dagegen χρύσειος mit betonung auf der drittletzten silbe. Att. ἐμέο, ἐμοῦ aus *ἐμέϳο, aber aeol. ἔμειο. Ich komme auf diese beiden fälle gleich zurück.

δοτέ-ος (so -τέος allgemein in den verbaladjektiven) für
*δοτέjος. Daneben mit verschobenem accent φατειός Hes.
Theog. 310, Asp. 144. 161.

Dagegen βασίλειᾰ „die königin", ἱέρειᾰ „die priesterin",
ferner die 3. pers. plur. opt. des thematischen praesens φέροιεν = idg. bhéroien, und die sogenannten aeolischen optativformen des a-aoristes τιμήσειας, τιμήσειε, τιμήσειαν. Auch
die 1. sg. des thematischen optativs φέροιν begreift man so.
Dem arischen bháreyam nach zu schliessen, haben wir als
grundform bhéro-i-m anzusetzen. Hätte der accent nicht auf
dem e, sondern auf dem thematischen vokale gelegen, so
müsste die form φερόα = φερόjα lauten. Diesen formen
schliessen sich ἥïα = *ἔεια und ἥïε = *ἔειε an.

Wir müssen also das Fick'sche gesetz dahin erweitern,
dass idg. i im Griechischen als j erschien, wenn
der accent unmittelbar vorherging, in allen anderen fällen (d. h. wenn der accent folgte oder auf
der vorvorigen silbe stand) als ι.

Das gesetz in dieser fassung ist besonders deshalb so
wichtig, weil es den sicheren beweis dafür enthält, dass
auf griechischem boden noch hauchaccent und musikalischer
accent neben einander existierten. Man nahm bislang allgemein an, dass der — der ursprache angehörende — hauchaccent im Griechischen ganz untergegangen und nur der
musikalische accent übrig geblieben sei. Und tatsächlich
kannte man bislang keine erscheinung, welche für einen
griechischen hauchaccent sprach. Alle griechischen formen,
welche ihn voraussetzten, liessen ihn bereits in die ursprache
zurückverfolgen.

Erst durch das Fick'sche gesetz in der von mir formulierten fassung ist die existenz eines hauchaccentes im Griechischen bewiesen. Wenn tönendes i̯ unmittelbar vor dem
hochtone zum tonlosen j wird, so kann das nur eine folge
des hauchaccentes sein. Nun fand aber, wie wir sicher beweisen können, noch auf griechischem boden ein wechsel von
ι und jot = idg. i̯ je nach der lage des accentes statt. Die
Kyprier sagten κόρζα = *κόρδjα für urgriechisches καρδία =
*κρδιά, πέζον (Hesych. πέσον) = *πέδjον für urgriechisches
πεδίον.

Noch zahlreichere und hübschere beispiele liefert Homer. Ich erwähnte bereits das homerische χρύσειος neben dem attischen χρισέος. Die attische betonung war, wie der vokalismus zeigt, die urgriechische. Dass Homer dafür χρύσειος sagt, nimmt uns kein wunder, sobald wir mit Fick die Aeoler als schöpfer des Epos ansehen und den homerischen dialekt seinem ursprunge nach mit dem aeolischen identificieren. Denn die Aeoler zogen ja bekanntlich, wie die grammatiker und unsere texte überliefern, den accent so weit wie möglich vom wortende zurück.

Wie χρύσειος zu χρισέος, verhält sich das homerische ἔμειο (so zu accentuieren!) zu dem attischen ἐμέο und das homerische ἵπποιο zu dem gemeingriechischen ἵπποο = *ἱππόjo für älteres *ἱππέjo. An anderer stelle hoffe ich ausführlicher darzuthun, dass *ἱππέιο, *ἱππόιο die ursprüngliche form des genitivs der o-stämme war. Die gemeinübliche ansicht, dass ἵπποιο dem arischen açvasya entspreche, ist sicher falsch, weil sie mehreren griechischen lautgesetzen widerspricht.

Zum schlusse möchte ich doch darauf hinweisen, wie das Fick'sche gesetz aufs engste dem Verner'schen spirantengesetze verwandt ist. Beide haben den grundzug gemeinsam, dass ein tönender laut, wenn ihm der expiratorische accent unmittelbar vorhergeht, zum tonlosen wird, dagegen, wenn der expiratorische accent folgt oder auf der vorvorigen silbe steht, tönend bleibt.

Das Verner'sche gesetz gilt übrigens — beiläufig bemerkt — sehr wahrscheinlich auch für i im Germanischen.

5. Für die 3. plur. dürfen wir, auch wenn dieselbe nicht überliefert ist, als grundsprachliche form é-ei-en(t) ansetzen.

Grundsprachliches schema.

S. 1. *é-ēi̯-m̥*, *ēi̯-m̥* 2. *é-ĕi-s*, *ēi-s*   3. *é-ĕi-t*, *ēi-t*

D. 1. *é-ĕi-re*, *ēi-re* 2. *é-ĕi-tom*, *ēi-tom* 3. *é-ĕi-tām*, *ēi-tām*

P. 1. *é-ĕi-me*, *ēime* 2. *é-ĕi-te*, *ēi-te*   3. *é-ĕi̯-en(t)*, *ēi̯-en(t)*.

Natürlich kann das augment stets fehlen.

4. Conjunktiv imperfecti.

Als imperative fungieren die formen

D. 2. Ssk. *itám*, griech. *ἴτον* = ursprachlich *i-tóm*.

P. 2. Ssk. *itá*, griech. *ἴτε* = ursprachlich *i-té*.

Wahrscheinlich ist auch die 3. dualis des imperativs ssk. *itá'm* eine conjunktivform und mit einem griechischen **ἴταν*, nicht mit **ἴτων* gleichzustellen.

Einen mit den vokalen *ō* und *ē* gebildeten conjunktiv imperfecti kennt nur der Veda und Avesta:

Ved. S. 3. *áy-a-t*, av. *uy-a-ṭ*, idg. *éi-e-t*.

P. 3. *áy-a-n*, *éi-o-n(t)*.

Nicht zu *éimi*, sondern zu dem thematischen praesens *éiō* gehören die formen ved. *áyāma*, *áyanta* und avest. *ayān*.

5. Optativ.

Im Avesta zufällig nicht überliefert, im Lateinischen nicht erhalten. Wir sind also lediglich auf das Indische und Griechische angewiesen:

Ssk. S. 1. *iyá'm*   2. *iyá's*   3. *iyá't*

  D. 1. *iyá'va*   2. *iyá'tam*   3. *iyá'tām*

  P. 1. *iyá'ma*   2. *iyá'ta*   3. *iyús*.

Griech. *εἴης* (= *eas*), Kaibel Epigrammata 618, a, 8.

εἴη (= *eat*) ξ 496, Ξ 107, Ω 139, O 82 (*εἴην*).

Bemerkungen.

1. Die griechischen formen *εἴης* und *εἴη* sind genau so zu beurteilen wie die zufällig gleichlautenden formen von *ésmi*: die grundformen waren **ἰᾱ'ν*, **ἰᾱ'ς* aus **i-ἰη'-ν*, **i-ἰη'-ς* = ssk. *iyá'm*, *iyá's*. Auf diese übertrug man — ebenso wie auf die formen **(σ)-ιᾱ'-ν*, **(σ)-ιᾱ'-ς* von *ἔσ-μι* — das ε des starken stammes: **ἐ-ιᾱ'-ν*, **ἐ-ιᾱ'-ς*.

2. Ob — wie bei *ésmi* — das starke moduskennzeichen *ē* auch bereits im plurale ursprachlich durchgeführt war, müssen wir unentschieden lassen.

3. Der gemeingr. optativ *ἴοιμι* und der conjunktiv *ἴω* sind nach analogie des thematischen praesens gebildet. Die home-

G

rische form ἰείην ist wahrscheinlich optativ zu einem aorist-stamme, von welchem auch ἰέ-ναι abgeleitet ist.

Ursprachliches paradigma.

S. 1. *i-i̯ḗ-m*   2. *i-i̯ḗ-s*   3. *i-i̯ḗ-t*
D. 1. *i-i̯ḗ-ve*   2. *i-i̯ḗ-tom*   3. *i-i̯ḗ-tām*
älter *i-ī-vé*   *i-ī-tóm*   *i-ī-tā́m*
P. 1. *i-i̯ḗ-me*   2. *i-i̯ḗ-te*   3. *i-i̯ḗ-n(t)*
älter *i-ī-mé*   *i-ī-té*.

6. Imperativ.

	Ssk.	Zd	Griech.	Lat.
S. 2.	*ihí*	*idhi, idī*	ἴϑι	*ī*
	—	—	ἴτω	*īto*
3.	*étu*	—	ἴτω	*īto*
D. 2.	[*itám*]	—	[ἴτον]	—
3.	[*itā́m*]	—	*ἴτων	—
P. 2.	[*itá*]	—	[ἴτε]	[*īte*] *ītote*
3.	*yántu*	*yañtu*	ἰόντων	*eunto.*

Bemerkungen.

1. Die in klammern gesetzten formen sind eigentlich conjunktive imperfecti, vgl. die bemerkungen zum conj. impft.

2. Das lateinische *ī* = idg. *ei* ist ohne flexionsendung gebildet, eine erscheinung, die sich für die *nu*-klasse auch aus dem Veda belegen lässt (vgl. *kṛṇu, hinu, sunú*). Dem *i* entspricht im Griechischen die form *εἶ*, welche bei Arist. Nub. 633 in ἔξει überliefert ist. Der scholiast fügt an dieser stelle die formen μέτει, δίει hinzu. Zu vergleichen sind τίϑη, δίδω, ferner aeol. πᾱ neben πῶϑι u. a.

3. Die griechische form ἴτω(τ) mit schwachem stamme ist als ursprachliche zu betrachten, wie aus den vedischen formen *vī-tát, rit-tá't, dat-tát, dhat-tát, kṛṇu-tát, hinu-tát, puni-tát* hervorgeht. Auf die lateinischen formen *īto, īte, ītote* ist der starke stamm erst nachträglich vom indikative aus übertragen worden.

4. ἰόντων ist ebenso wie *eunto* vom thematischen stamme

gebildet. *ἰέντω, *ἰέντων ist nicht zu belegen. Die form
ἴιων, einmal bei Aeschylus (Eumenid. 32) überliefert, ist eigentlich die dritte person dualis.

Ursprachliche formen.

S. 2. *i-dht*, starke form *i-tö't*.

7. Participium.

Ssk.	Zd.	Griech.	Lat.
	Starker stamm:		
yánt-	yañt-	ἰέντ-	ient-.
		(in ἴεσσα)	
	Schwacher stamm:		
yat- (= *ynt-)	—	—	—

Bemerkungen.

1. Aus dem Zd. sind überliefert: plur. nom. *yañtō*, plur.
acc. *yañta*. Auf ein thematisches praesens weisen hin nom.
sing. *ayáo*, acc. sing. *ayañtem*.

2. Dass im Griechischen ein starker stamm ἰέντ- einmal
vorhanden war, beweist das femin. ἴεσσα, vgl. bemerk. 3. Die
gemeingr. form ἰών ist thematisch gebildet, ebenso wie alle
casus des Lateinischen (mit ausnahme des nom. sg.): *euntis*
etc. Dem lateinischen *euntem* = *eontem* entspricht genau
das avestische *ayañtem*.

3. Da das femininum ursprachlich vom schwachen stamme
gebildet wurde, so sollten wir im Griechischen ein *ἴασσα (vgl.
ἴεσσα) = *ἰ-ντιά erwarten. Das ε in ἴεσσα ist erst aus dem
untergegangenen männlichen stamme ἰέντ- herübergenommen.

Ursprachliche flexion.

Nom. *i̯ént-(s)*, neutr. *i̯ént*, fem. *i̯ṇt-i̯á*

Gen.   *i̯ṇt-ós*,   *i̯ṇt-i̯á'-s*

Loc.   *i̯ṇt-í*,   *i̯ṇt-i̯a-i*

Acc. *i̯ént-ṃ*,   *i̯ént*,   *i̯ṇt-i̯á-m*.

6*

8. Infinitiv.

Ssk. *áy-a-se, iyá-dhyái, é-tave, é-tavái, i-tyái, é-tos.*
Griech. *ἴ-μεναι, ἰέ-ναι.*
Latein. *i-re.*

Mit sicherheit lassen sich einander deckende formen nicht nachweisen. Am nächsten stehen sich noch ssk. *áyase* und latein. *ire*, von denen ersteres thematisch gebildet ist. Dem griechischen *ἴμεναι* würde im ssk. **imáne* entsprechen. Ueberliefert sind *dhármane, ridmáne* u. a.

Das griechische *ἰέναι* berechtigt uns, *εἶναι* als **ἐσέ-ναι* aufzufassen.

iyá-dhyái würde griech. *ἰέσθαι* (med.) lauten.

§ 15.

é'dmi „ich esse".

Nichtthematisch flektiert dieses verbum im Sanskrit, Slavolettischen und zum teile im Lateinischen, thematisch im Griechischen (*ἔδω*, ausgenommen ist nur homer. *ἔδμεναι*), im Lateinischen (*edo, edunt*) und im Germanischen (got. *itan*).

Indessen finden sich thematische formen auch im Arischen und Litauischen:

Aus dem Rig-Veda nenne ich *á'dat* 3. sg. impf. = idg. *é-ede-(t)* 894, 6. Ebenso wird die 2. sg. im Ssk. thematisch gebildet: *á'das.*

Im Zd. ist das verbum nur einmal überliefert und zwar in dem thematisch gebildeten conjunktive praes. 3. sg. *adhâiti* „er esse" Afrîg. 1, 7.

Im Litauischen liegt neben *ědmi* ein *ědu.*

1. Indikativ praesentis.

	Ssk.	Lit.	Altbulg.	Latein.
S. 1.	*ádmi*	*ědmi*	*jamĭ* (aus *jad-mĭ*)	—
2.	*átsi*	—	*jasi* (aus *jad-si*)	*ēs* (aus *ēd-s*)
3.	*átti*	*ěst* (aus *ěsti*)	*justŭ* (aus *jad-tŭ*)	*ēst* (aus *ēd-t*)

	Ssk.	Lit.	Altbulg.	Latein.
D. 1.	*advás*	*ĕdva*	*javĕ* (aus *jad-vĕ*)	—
2.	*atthás*	*ĕsta*	*jasta* (aus *jad-ta*)	—
	(aus *ĕd-ta*)			
3.	*attás*	—	*jaste* (aus *jad-te*)	—
P. 1.	*ádmás*	*ĕdme*	*jamŭ* (aus *jad-mŭ*)	—
2.	*atthá*	*ĕste*	*jaste* (aus *jad-te*)	*ĕstis* (aus *ĕd-tis*)
	(aus *ĕd-te*)			
3.	*adánti*	—	*jadętŭ*	—

Bemerkungen.

1. Der praesensstamm erscheint im Ssk. mit kurzem, im Europäischen mit langem vokale (das altbulgarische *ja* ist aus **jē* = idg. *ē* hervorgegangen). Wie diese erscheinung zu erklären ist, werden wir im schlussparagraphen sehen, wenn es sich um die entstehung der nichtthematischen praesensklasse handelt. Bei dem unten folgenden ursprachlichen paradigma will ich — nach Brugmann's vorgange — den starken stamm für den singular, den schwachen für dual und plural reservieren.

2. Das indische *adánti* ist als *edénti* aufzufassen, das altbulgarische *ę* in *jadętŭ* ist ursprachliches *e+n* (nicht nasalvokal).

3. Ueber die einzelnen personalendungen habe ich bereits gesprochen. Der altbulg. endung *-si* = idg. *-sei* sind wir bereits in *jesi* „du bist" = **essei* begegnet. Wahrscheinlich ist dieselbe eine medialendung.

Ursprachliches paradigma.

S. 1.	*ĕd-mi*	2.	*ĕd-si*	3.	*ĕd-ti*
D. 1.	*ĕd-vés*	2.	*ĕd-thés*	3.	*ĕd-tés*
P. 1.	*ĕd-més*	2.	*ĕd-thé*	3.	*ĕdénti*

2. Optativ.

Im Altbulgarischen sind nur die dual- und pluralformen erhalten. Sie fungieren als imperative. Im R.-V. ist nur die 3. plur. *adyús* überliefert.

Ssk. S. 1. *ad-yá'-m*   2. *ad-yá'-s*   3. *ad-yá'-t*
Ssk. D. 1. *ad-yá'-va*   2. *ad-yá'-tam*   3. *ad-yá'-tám*
Altb. *jad-i-vě*   *jad-i-ta*   —
Ssk. P. 1. *ad-yá'-ma*   2. *ad-yá'-ta*   3. *ad-yús*
Altb. *jad-i-mň*   *jad-i-te*   —

Bemerkungen.

1. Das altbulgarische moduszeichen *i* ist das für den dual und plural zu fordernde. Es entspricht dem griechischen *ι* und arischen *i* im medium. Das Indische hat die starke form des moduskennzeichens, welche nur für den singular berechtigt ist, auch im plural durchgeführt.

2. Die ursprachliche form des 3. plur. wird wahrscheinlich *ĕd-ję̄-nt* gelautet haben.

Ursprachliches paradigma.

S. 1. *ĕd-ję̆'-m*   2. *ĕd-ję̆'-s*   3. *ĕd-ję̆'-t*
D. 1. *ĕd-i-vé*   2. *ĕd-i-tóm*   3. *ĕd-i-tá'm*
P. 1. *ĕd-i-mé*   2. *ĕd-i-té*   3. *ĕd-ję̆'-nt.*

---

3. Imperativ.

Sg. 2. Ssk. *ad-dhí* = altb. *jaž-dĭ.*

Bemerkungen.

1. Das altbulgarische *jaž-dĭ* ist aus **jaz-dĭ* (palatales *ž* für *z* wegen des folgenden *ĭ*) und dieses wieder aus **jad-dĭ* entstanden.

Die altbulg. form *jaždĭ* vertritt zugleich die stelle der dritten person.

2. Da die endung *-dhi* ursprünglich den accent trug, so dürfen wir

Sg. 2. *ĕd-dhi*

als die ursprachliche form ansetzen.

3. Im Veda sind noch andere imperativformen: *attu, adantu* überliefert.

---

4. Participium.

Ssk. *adánt, adat* = **adṇt.*

Im Altbulgarischen ist der thematische stamm zu grunde gelegt: nom. *jady* = **jadons* aus **jado-nt-s*, gen. *jadǫšta* aus **jado-ntja*, fem. *jadǫšti*.

Ursprachliche stämme:
Stark: *ēdéṇt*, schwach: *ēdṇt-.*

5. Infinitiv.

Gr. *ἔδ-μεναι*, latein. *ĕsse* = **ĕd-se.* Im Veda zufällig nicht überliefert. Doch ist ein **ád-mane* zu erschliessen aus *dhármane, bhármane.*

Grundform *ĕd-ménai.*

Auf eine reconstruktion der übrigen modi verzichte ich. Will man sie reconstruieren, so muss man *ásmi* zu grunde legen. Im Veda ist ausser den bereits erwähnten formen nur noch *at-tá* 841, 11, in vollerer form *atta-na* 926, 10 (conj. impft. 2. plur. als imperativ verwendet) überliefert.

§ 16.

Sehr ungewiss ist es, ob wir auf grund der gleichung
Ssk. *védmi* = altbulg. *vĕmĭ* (aus **vĕdmĭ*)
ein indogermanisches
voidmi „ich weiss"
anzusetzen haben.

Ein praesens *védmi : vidmás* ist dem Rig-Veda völlig fremd. Alle formen, welche Avery und Grassmann zum praesenssysteme ziehen, gehören in wahrheit dem perfectum *véda* = gr. *ϝοῖδε* an, so der optativ *vidyá'm, vidyá't, vidyá'-tam, ridyá'ma, vidyus*, der imperativ *viddhí* = griech. *ϝίσϑι, vittá't* = griech. *ϝίστω, vittám* = griech. *ϝίστον*, der conjunktiv *véd-a-t, ved-a-s* (vgl. *bu-bodh-a-s, ci-ket-a-t*). Die einzigen beiden formen, die man von einem praesens *védmi* ableiten könnte, sind die conjunktive *véd-a-ti* 665, 42 und *red-a-thas* 646, 11. Indessen sind die primären endungen im conjunktive perfecti auch sonst überliefert, z. b. *da-dhârsh-a-ti, va-várt-a-ti*.

Ebenso kennt das Zend nur das perfectum *vaêdâ*, optativ *vidyât*, nicht aber ein praesens *vaêdmi*.

Daraus folgt, dass dem Urarischen ein praesens *vaidmi* abzusprechen ist. Man empfand also im Urarischen noch, dass *vaida* = idg. *voido* eigentlich das perfekt zu *vindâmi* „ich finde", stamm idg. *reid*, *rid*, war. Dieses bewusstsein ging der späteren sprache verloren. Man vermisste zu *vaida* „ich habe gefunden, erkannt" ein praesens und schuf sich deshalb ein solches, indem man die perfektformen *vidmá*, *vittá* durch übertragung der primären endungen in die praesensformen *ridmás*, *vitthá* u. s. w. umgestaltete. Natürlich wurde nun der optativ des perfekts einfach zugleich als optativ des praesens benutzt; ebenso erging es dem imperative.

Schwieriger ist das altbulgarische praesens *rěmĭ* (= *vědmĭ*) zu beurteilen. Der starke stamm ist (ebenso wie bei *jesmĭ* und *jamĭ* = *jadmĭ*) in allen personen und modis durchgeführt: *rěmĭ*, *rěsĭ*, *věrě*, *rěste* (= *věd-te*), *rědętŭ*, optativ (imperativ) *rědivě*, *rědita*, *rědimŭ*, *rědite*, imperativ *rěẑdĭ* = *věẑdĭ* (aus *věd-dĭ*).

Mir erscheint es als das richtigste, auch den altbulg. stamm *rěd* als perfektstamm aufzufassen und einem idg. *void* gleichzusetzen. Dann würden sich die altbulgarischen formen von den indischen nur durch die consequente durchführung des starken stammes unterscheiden.

Die litauische form *rěizdmi*, welche man gegen diese deutung anführen könnte, hat nichts mit altbulg. *věmi* zu thun. Lit. *ei* und altbulg. *ě* lassen sich nicht auf denselben diphthong zurückführen. Lit. *rěizdmi* lässt sich nicht von dem thematischen *reizdù* und dieses wiederum nicht von griech. ϝείδω trennen. Also wird das litauische *éi* einem idg. *ei* entsprechen, das im Altbulg. als *i* erscheint.

Uebrigens ist auch das *ẑ* in *reizdmi* noch ungedeutet.

Sollte altbulg. *vě(d)mi* wirklich von einem perfektstamme *rěd* = idg. *void* abgeleitet sein, so berechtigt uns das das noch immer nicht dazu, ein idg. *voidmi* anzusetzen, da, wie ich ausführte, dem Urarischen diese praesensbildung noch fremd war.

§ 17.

Die übrigen consonantischen stämme, für welche sich eine ursprachliche nichtthematische praesensflexion nachweisen lässt.

1. *véc-mi* „wünschen, wollen".

Ved. *vaç-mi*, *vak-shi*, *vásh-ṭi*, *uç-mási*, *uçánti*, partic. *uçán*, *uçántam*, femin. *uç ati'* = **uçṇti'*. Dieser letzteren form entspricht das griechische *Ϝέκασσα* (mit vollem stamme) = **Ϝεκ-ντ-ιά*.
                                                  o
Von demselben verbum sind jedoch im R.-V. auch 3 nur je einmal belegte thematische formen erhalten: *ráçanti* 640, 17. 648, 4, *avaçat* 213, 1 und nach der *tud*-klasse *uçá-mána* 315, 4. Diesen gesellt sich das griechische *Ϝεκών*, **Ϝεκόντια* = *Ϝεκόνσα*, ion. *έκοῦσα* zu.

2. *jṓs-mi* „gürten".

Nur 2 formen sind überliefert:
Zd. *aiw-yáçti* 3. sg. vd. 18, 23 umgürten.
Lit. *jů's-mi* (nur diese form) gürten.
Im Ssk. ist das verb nicht belegt. Altb. *jasati* (abgel.), gr. **ζώσ-νῡ-μι*, *ζώννῡμι*.

3. *é's-tai* „er sitzt".

Im Rig-Veda und im Altgriechischen wird das verb nur im medium und stets nichtthematisch flektiert.

	Praesens		Imperfectum	
	Veda	Griechisch	Veda	Griechisch
S. 1.	—	$\bar{i}_{|}(\sigma)\mu\alpha\iota$	—	$\ddot{i}_{|}(\sigma)\mu\ddot{\alpha}\iota$
2.	—	$\bar{i}_{|}(\sigma)\sigma\alpha\iota$	—	$\ddot{i}_{|}(\sigma)\sigma o$
3.	*á'ste*	$\dot{i}_{|}\sigma\tau\alpha\iota$	—	$\ddot{i}_{|}(\sigma)\tau o$
Zd.	*áçtě*			
D. 2.	*á'sáthe*	—	—	$\bar{i}_{|}(\sigma)\sigma\vartheta o\nu$
3.	*ásátě*	—	—	$\ddot{i}_{|}(\sigma)\sigma\vartheta\alpha\nu$
P. 1.	—	$\ddot{i}_{|}(\sigma)\mu\varepsilon\vartheta\alpha$	—	$\ddot{i}_{|}(\sigma)\mu\varepsilon\vartheta\alpha$

Praesens			Imperfectum	
	Veda	Griechisch	Veda	Griechisch
P. 2.	—	ἧ(σ)σθε	—	ἧ(σ)σθε
3.	á'sate	ἧ(σ)νται	ásata	ἧ(σ)ντο
	(= á'ṣṇte)	Hom. ἧαται	(= áṣṇta)	Hom. ἧατο.

Bemerkungen.

Vom imperative sind im R.-V. *ástäm* (3. sg.) und *ádhvam* (für *ás-dhram*), vom optative *ásíta* (3. sg.) und vom conjunktive *ás-a-se, ás-u-te* überliefert.

Der imperativ ist auch im Griechischen erhalten: ἧσο, ἧσθω, ἧσθον, ἧσθων, ἧσθε, ἧσθων. Dagegen ist der optativ verloren gegangen. Im compositum κάθημαι wird er thematisch gebildet: καθοίμην.

Im Ssk. wird das verb auch im aktiv gebraucht: *á'sti*, und zugleich thematisch flektiert: *á'sati, á'sate.* Auch das avestische *áoṅhaṇti, áoṅheṇti* kann eine thematische form sein. Mit sicherheit lassen sich der ursprache zuweisen;

Praes. Sg. 3. *ḗs-tai*		Pl. 3. *ḗs-ṇtai*	
Impft. Sg. 3. *ḗs-to*		Pl. 3. *ḗs-ṇto*	
(aus *é-ēs-to*)		(aus *é-ēs-ṇto*).	

4. bhér-mi „tragen".

Griech. nur φέρτε Ilias I, 171.
Latein. *fer-s, fer-t, fer-tis, fer-te, fer-tote, fer-re.*
R.-V. *bhárti* 173, 6. 454, 3, *bhármaṇe* 914, 1.

5. vés-tai „er kleidet sich".

Das in unseren grammatiken als perfekt ausgegebene εἱμαι = *Γέσμαι* ist nichts anderes als ein nichtthematisches praesens.

Im Rigveda sind überliefert:
S. 3. *váste* = gr. *Γέσται*, D. 2. *vasáthe.*
P. 3. *vásate* aus **vásṇte* = ion. **εινται*, hom. **Γέσαται.*
S. 3. *vasta* = gr. *Γέστο.* P. 3. *vasata* aus **vasṇta* = hom. *Γέατο.*
So ist natürlich für das überlieferte εἷατο zu lesen.
Optativ *vasîmahi,* imperativ sg. 3. *vastám.*

Aus dem Homer sind noch zu nennen *ϳέσμαι, ϳέσσαι, ϳέσται* (so für *εἶται* λ 191 zu lesen), *ϳέσσο, ϳέσϑην*.

6. *zén-tai* „er entsteht".

Gr. aor. *γέντο* Theogon. 199, 640. Sappho 16 B³. Diese form ist ebenso wie *ἐγενόμην* und die übrigen sogenannten starken aoristformen eigentlich imperfectum. Rig-Veda *ajanata*, 3. plur. impft., 301, 5, entstanden aus **ajan-ṇta*.

§ 18.
Langvokalige und diphthongische stämme.

1. *kjéi-mi* „wohnen".

Ved. *kshéshi, kshéti, kshitás, kshiyánti* u. s. w. Hom. *εϳ-κτί-μενος*. Das homerische *περι-κτίονες* lässt sich mit dem vedischen participium *kshiyánt-* nicht unmittelbar gleichsetzen, da letzteres wohl als *kji-ént* zu deuten ist.

2. *khyä́-mi* „scheinen".

Ved. Conj. impft. *khyam, khyás, khyá-t.*
Ind. impft. *á-khya-m, á-khya-t, a-khya-ta, a-khya-n.* Lat. *in-qua-m*. Die übrigen formen *inquis, inquit, inquimus, inquiunt, inquṇ* sind von einem praesens *inquio, inquere* gebildet.

3. *céi-tai* „er liegt".

Im Veda ist sicher nichtthematisch nur *çéshe* = **κεῖ(σ)αι*, vielleicht auch die 3. sg. *çáye*. Alle anderen formen sind thematisch gebildet: 3. sg. *çayate*, 3. plur. *çáyante*, impf. *áçayat* u. s. w. Im klass. Ssk. flektiert das verb nichtthematisch: *çéte* = zd. *çaété* = griech. *κεῖται*, ssk. *çé-mahe* = gr. *κείμεϑα* u. s. w.

Im Griechischen werden nur conjunctiv und optativ thematisch gebildet, alle anderen modi nichtthematisch: *κεῖ-μαι, κεῖ-σαι* — *ἐκείμην, ἔκεισο* — imperat. *κεῖ-σο, κεῖ-σϑω* — inf. *κεῖ-σϑαι*, part. *κεί-μενος*.

4. $bh\bar{a}'\text{-}mi$ „scheinen".

Aus dem R.-V. sind überliefert:

$bh\bar{a}'\text{-}si$, griech. φᾶς (ion. φής, Apoll. Dysc.).

$bh\bar{a}'\text{-}ti$, griech. φᾱτί, achae. φᾱσί, ion. φησί.

$bh\bar{a}'\text{-}nti$, griech. φᾱντί, achae.-ion. φᾶσί.

Imper. $bh\bar{a}\text{-}hi$, griech. φᾶθί (so nach den grammatikern accentuiert).

Der plural im Griechischen mit verkürzung des stammvokales φᾰ-μέν, φᾰ-τέ. Im Ssk. ist der starke stamm ganz durchgeführt: $bh\bar{a}\text{-}mas$, $bh\bar{a}\text{-}tha$.

Den gleichen bedeutungsübergang von „scheinen" in „sprechen" hatten wir in lat. $inquam$ = ved. $khy\acute{a}ti$.

5. $p\acute{a}'\text{-}mi$ „trinken".

Ved. $p\acute{a}\text{-}nti$, $p\acute{a}\text{-}t\acute{a}m$, $p\acute{a}\text{-}t\acute{a}$ u. s. w.

Dem vedischen $p\acute{a}\text{-}hi$ entspricht genau griech. πῶ-θι, welche als aeolisch im EM. 698, 51 bezeugt wird. Der grammatiker nennt daneben die ohne suffix gebildete form πῶ.

Uebrigens kann πῶθι ebenso wie πῖθι auch der imperativ zu einem aoriste ἔπιον sein, vgl. στᾶθι zu ἔστᾱν. Auch κλῦθι = ssk. $çrudhi$ ist imperativ zum aoriste ἔκλυν (vgl. auch κλῦτε), welcher wie ἔφῦν zu beurteilen ist.

6. $v\bar{a}'\text{-}mi$ „wehen".

Ved. $v\acute{a}\text{-}mi$, $v\acute{a}'\text{-}ti$, $v\bar{a}'\text{-}nti$, $v\acute{a}\text{-}tas$, $v\acute{a}\text{-}hi$, $v\acute{a}\text{-}tu$.

Griech. mit prothetischem α: ἄ-ϝη-μι, impft. 3. sing. ἄ-ϝη, infin. ἀ-ϝή-μεναι, 2. dual. ἄ-ϝη-τον, part. ἀ-ϝέ-ντες E 526. Vom medium sind ἄ-ϝη-το, ἀ-ϝή-μενος, ἄ-ϝη-ται überliefert.

Den überlieferten formen nach zu schliessen, wurde der starke stamm bereits ursprachlich im dual und plural durchgeführt.

7. $sn\bar{a}'\text{-}mi$ „schwimmen".

Ssk. $sn\bar{a}'\text{-}mi$, $sn\bar{a}'\text{-}ti$ „sich baden, waschen". Im R.-V. ist überliefert $sn\bar{a}\text{-}tas$ (3. dual.) und das particip $sn\bar{a}t\acute{\imath}$.

Latein. [no], $na\text{-}s$, $na\text{-}t$, $na\text{-}mus$, $na\text{-}nt$. Part. $na\text{-}us$, $na\text{-}ntis$, inf. $na\text{-}re$.

8. *d ṓ-m i* „geben".

Ved. *dá'-ti* er giebt.

Latein. [*do*], *da-s, da-t* u. s. w., infin. *dare.*

9. *v éi-mi* „wollen, verlangen".

Ved. *vé-mi, vé-shi, vé-ti* u. s. w.

Lat. *vis* = ved. *vé-shi*. Diese gleichung stammt von Fröhde. Griech. *ſíε-μαι, ſíέ-μενος (ſιε-* ebenso zu beurteilen wie *ἰε-* in *ἰέ-ναι*).

10. *stéu-mi* „preisen, rühmen"; med. „sich rühmen".

Ved. *stó-shi, stu-mási, sturánti* „loben, preisen". Imper. *stu-hi, stu-tam, stān-tā,* med. 2. sg. *stu-she*. (Daneben thematisch *stávase, stárate* u. s. w.)

Gr. *στεῦ-μαι* „sich berühmen, sich vermessen". Bei Homer sind *στεῦ-ται* und *στεῦ-το* überliefert. Das vedische *stó-ti* verhält sich seiner bedeutung nach zu dem homerischen *στεῖται* genau so wie unser „loben" zu „geloben".

Die erste person *στεῦ-μαι* nur bei späteren epikern.

Anmerkung. Dem griech. *στεῦ-ται* Soph. Trach. 645 stehen im Veda die thematischen formen *cyavante, cyavanta* gegenüber.

2. Die reduplicierende klasse.

Für die ursprache lassen sich nur 4 reduplicierte praesentia nachweisen. Sie sind gebildet von den wurzeln: *d ō* „geben", *sthā* „stehen", *dhē* „setzen", *gā* „gehen".

§ 19.

d ō „geben".

Die art der reduplikation ist in jeder der drei indogermanischen sprachgruppen eine verschiedene: Arisch *dá-dā-mi*, griech. *δí-δω-μι*, osc. fut. 3. sg. *di-de-st*, abgeleitet von einem reduplicierten praesensstamme *di-da-*, lit. *dú'mi* (für *dá'dmi*), althulg. *damī* (für *dadmī*).

Die arische reduplikation beruht auf dem perfekte. Die
griechische reduplikation mit *i* darf wohl als die ursprachliche praesensreduplikation gelten, da sie sich in zwei beispielen sowohl für das Arische wie für das Griechische
belegen lässt: ssk. *tí-shthá-mi*, gr. (σ)ΐ-στά-μι und ssk. *jí-
gā-ti*, dorisch βí-βα-τι.

Wir unterscheiden zwei praesensstämme, einen starken
und einen schwachen. Der starke lautet — abgesehen von der
reduplikationssilbe — im Arischen und Griechischen gleich:
dadā, gr. δίδω, der schwache dagegen in beiden sprachen
verschieden: ar. *da-d-*, griech. δι-δο-. Zweifellos hat hier
das Griechische die ältere form bewahrt. Denn ein ursprachliches ō musste, wenn der hochton auf der nächstfolgenden
silbe stand, zu ŏ verkürzt werden. *didŏ* ist also die tonlose
stammesform. Ihr müsste im Arischen **dadi*, **dadî* entsprechen
vgl. ssk. *ádita* = gr. ἔδŏτο. Wie es zu erklären ist, dass
für diese vor dem hochtone geforderte form **dadi* die
noch kürzere *dad-* eintrat, welche nur berechtigt war, wenn
der hochton auf der zweitfolgenden silbe ruhte, ist vorläufig
nicht zu erklären.

Uebrigens war diese kürzeste stammesform vielleicht nicht
einmal auf das Arische beschränkt. Man hat sich bislang
viel bemüht, den slavolettischen stamm *dŏd* (lit. *dŭd-*, altb.
dad-) zu erklären. Nehmen wir an, dass das eigenartige der
slavolettischen reduplikation in der wiederholung des ganzen
stammes bestand, so würden wir, wenn wir das indische
praesens als muster zu grunde legen, folgendes slavolettische
paradigma erhalten:

S. 1. *dŏ-dŏ-mi*, ssk. *dá-dā-mi*.

   2. *dŏ-dŏ-si*, ssk. *dá-dā-si*.

   3. *dŏ-dŏ-ti*, ssk. *dá-dā-ti*.

P. 1. *dŏ-d-més*, ssk. *da-d-mús*.

   2. *dŏ-d-té*, daraus *dŏ-s-té*, ssk. *da-t-thá* aus **da-d-thá*
     u. s. w.

Vom dual und plural aus konnte nun der schwache stamm
auch in den singular eindringen und hier den starken stamm
dŏ-dŏ- verdrängen.

Selbst wenn übrigens diese erklärung des slavolettischen
stammes richtig sein sollte, so ist damit noch immer nicht

95

bewiesen, dass diese verkürzung des vollen stamm *dô* zum einfachen *d* bereits ursprachlich war. Dagegen sprechen auf das entschiedenste einmal das Griechische, dessen stamm der lautgesetzlich geforderte ist, und zweitens stämme wie *çiçá*, *mimá*, zu denen das Ssk. die regelrechten kurzformen *çiçí*, *mimí* erhalten hat. Ist wirklich slavolett. *dō-d-* = ar. *da-d-*, dann hat diese verkürzung sicher in den einzelsprachen stattgefunden. Möglicherweise hat in **dōdmi* zwischen dem *d* und *m* ein kurzer vokal (*ŏ* oder *ŭ*) gestanden, der erst nach speciell slavolettischen lautgesetzen ausgestossen wurde.

Bei dem folgenden ursprachlichen paradigma werde ich als schwachen stamm das griechische *διδο* zu grunde legen.

Activum.

1. Indikativ praesentis.

Ssk.	Zd.	Griech.	Lit.	Altbulg.
dádāmi	*dadhāmi*	*δίδωμι*	*dǎ'mi*	*da-mi*
			(für **dǎ'd-mi*)	(für **dad-mi*)
dádāsi	*dadhāhi*	*δίδως*	—	*da-si*
				(für **dad-si*)
dádāti	*dadhāiti*	*δίδωτι*	—	*das-tŭ*
		ion. *δίδωσι*		(für **dad-tŭ*)
dad-vás	—	—	—	*da-vě*
				(für **dad-vě*)
dat-thás	—	*δίδοτον*	—	*das-ta*
dat-tás	—	*δίδοτον*	—	*das-te*
dad-más	*dademahi*	*δίδομες*	—	*da-mŭ*
dat-thá	—	*δίδοτε*	—	*das-te*
dád-ati	—	*δίδοντι*	—	*dad-ętŭ*.
(= *dád-ṇti*)		att. *διδόασι*.		

Bemerkungen.

1. *δίδως* ist mit sekundärer endung gebildet. Das homerische *διδοῖσθα* T 270 ist von Bekker in *δίδωσθα* (= *δίδως* + der perfektendung *-θα*) geändert.

2. *-si* in altb. *da(d)-si* ist mediale endung, vgl. die bemerkungen zu *jesi*, pag. 65.

3. Im Arischen wurde *dádāmi*, wie alle verba dieser reduplicierenden klasse, bereits sehr früh in die thematische flexion übergeführt. Zu *dádāmi* bildete man nach analogie von *bhárāmi : bhárasi : bháranti* ein *dádasi : dádanti*. Für *dádāmi* sind derartige thematische formen bereits aus dem Veda zu belegen. Für den indikativ praesentis giebt es das beispiel: *dada-ti* 226, 10.

4. Das avestische *dademahi* ist wahrscheinlich als **dad͞-mahi* = ssk. *dad-mási* aufzufassen. *e* ist dann also schwa-vokal, vgl. Brugmann, Grundr. I, 471.

5. Das altbulgarische *dadętŭ* steht vermutlich für **dad-ętŭ* = ar. *dádati*. Man könnte sonst auch daran denken, dass es gebildet sei, wie *jadętŭ, sętŭ* (*ę* = idg. *en*).

6. Das attische *διδόασι* ist eine jüngere bildung. Sie geht auf die aoristform *ἔδοαν* zurück. Das nähere darüber siehe im schlussparagraphen.

Ursprachliches paradigma.

S. 1. *di-dŏ'-mi*	2. *di-dŏ'-si*	3. *di-dŏ'-ti*
D. 1. *di-dŏ-rés*	2. *di-dŏ-thés*	3. *di-dŏ-tés*
P. 1. *di-dŏ-més*	2. *di-dŏ-thé*	3. *di-dŏ-nti.*

2. Conjunktiv praesentis.

Im Rig-Veda ist keine form überliefert.

Die attischen formen διδῷς und διδῷ beruhen sicher auf **διδώῃς* und **διδώῃ* (vgl. att. ῥιγῷς aus **ῥιγώῃς*), da aus διδόῃς, διδόῃ nur διδοῖς, διδοῖ hätte werden können (vgl. μισθοῖς aus μισθόῃς). Die 1. sg. διδῶ lässt sich als διδόω oder διδώω deuten. διδῶμεν und διδῶσι sind entweder alte conjunktive (= διδώομεν, διδώοντι) oder analogiebildungen nach der thematischen flexion (= διδώωμεν, διδώωντι).

3. Indikativ imperfecti.

Ssk. S. 1. *á-dadā-m* (R.-V.) 2. *á-dadā-s* (R.-V.) 3. *á-dadā-t* (R.-V.)
Griech. *ὲ-δίδω-ν*   *ὲ-δίδω-ς*   *ὲ-δίδω*

Ssk. D.1. *á-dad-ra*   2. *á-dat-tam* (R.-V.) 3. *á-dat-tám*
Griech. —   *è-δίδο-τον*   *è-διδό-τᾱν.*
Ssk. P.1. *á-dad-ma*   2. *á-dat-ta*   3. *á-dadus* (R.-V.)
                         R.-V. *á-dadá-tu*
Griech. *è-δίδο-μεν*   *è-δίδο-τε*   *ἔ-διδο-ν*
                                                 [*è-δίδο-σ-αν*].

Bemerknngen.

1. Ved. *á-dadá-ta* 890, 12 vom starken stamme.

2. *ἔδιδον* nur einmal überliefert im hymnus auf Dem. 328. Im Homer sind die parallelen formen *ἐτίϑεν*, *ἵεν* erhalten.

ἐδίδοσαν beruht auf dem aoriste *ἔδοσαν*, ebenso wie die vorhin erwähnte praesensform *διδύασι*.

3. Die attischen formen *ἐδίδουν*, *ἐδίδους*, *ἐδίδου* sind jüngere bildungen nach der thematischen flexion und beruhen auf *ἐδίδοον*, *ἐδίδοες*, *ἐδίδοε*.

Ursprachliches paradigma.

S. 1. *é-didō-m*   2. *é-didō-s*   3. *é-didō-t*
D. 1. *é-didŭ-re*   2. *é-didŭ-tam*   3. *é-didŭ-tām*
P. 1. *é-didŭ-me*   2. *é-didŭ-te*   3. *é-didŭ-nt.*

Natürlich konnte das augment in allen formen fehlen.

4. Conjunktiv imperfecti.

Conjunktive imperfecti sind die imperativformen:
D. 2. R.-V. *dat-tam*, gr. *δίδοτον*, idg. *di-dŭ-tóm.*
P. 2. „ *dat-ta*, „ *δίδοτε*, „ *di-dŭ-té.*

Auch das vedische *dat-tám* D. 3 fasse ich als conjunktiv = gr. *διδότᾱν*, nicht als imperativ = gr. *διδότων.*

Ob die vedischen formen *dádas* und *dádat* = zd. *dadat* y. 29, 9 nach der thematischen flexion (vgl. *bháras*, *bhárat*) oder nach der nichtthematischen weise vom schwachen stamme *dad- (dád-u-s, dád-a-t)* gebildet sind, bleibt unentschieden.

7

5. Optativ.

	Ssk.	Zd.	Griech.	Altbulg.
S. 1.	*dad-yā'-m*	*daidh-yā-m*	διδο-ίη-ν	—
2.	*dad-yā'-s*	*daidh-i-s*	διδο-ίη-ς	—
3.	*dad-yā'-t*	*daid-î-t, daid-yā-t*	διδο-ίη	—
D. 1.	*dad-yā'-va*	—	—	*dad-i-vĕ*
2.	*dad-yā'-tam*	—	selten διδο-ῖ-τον	*dad-i-ta*
3.	*dad-yā'-tām*	*daidh-î-tem*	διδο-ί-τᾱν	—
P. 1.	*dad-yā'-ma*	—	διδο-ῖ-μεν	*dad-i-mŭ*
2.	*dad-yā'-ta*	*daidh-î-ta*	διδο-ῖ-τε	*dad-i-te*
3.	*dad-yŭs*	*daidh-yā-n*	διδο-ῖε-ν	—

Bemerkungen.

1. Zd. *daidhis, daidit* mit schwachem moduskennzeichen.

2. Im Ssk. ist das starke moduskennzeichen auch im plural und dual durchgeführt. Die formen διδοίημεν, διδοίητε sind jung und erst griechische neubildungen.

3. Das -εν(τ) in διδοῖεν kann — ebenso wie in εἶεν — aus -ηv(τ) verkürzt oder die sekundäre endung der 3. plur. der nichtthematischen praesentia sein.

Ursprachliches paradigma.

S. 1. *di-dŏ-įē'-m*   2. *di-dŏ-įē'-s*   3. *di-dŏ-įē'-t*

D. 1. *di-dŏ-i-vĕ*   2. *di-dŏ-i-tóm*   3. *di-dŏ-i-tā'm*

P. 1. *di-dŏ-i-mé*   2. *di-dŏ-i-té*   3. *di-dŏ-įē'-nt.*

6. Imperativ.

	Ssk.	Griech.	Altbulg.
S 2.	*de-hi,* für	δίδω-θι	*dąždi*
	dad-dhi R.-V.		(aus *dag-di = *dad-di)
	dat-tā't (R.-V.)	διδό-τω	—
3.	*dádā-tu* (R.-V.)	διδό-τω	—
D. 2.	[*dat-tam* (R.-V.)]	[δίδο-τον]	—
3.	[*dat-tām* (R.-V.)]	διδό-των	—
P. 2.	[*dat-ta* (R.-V.)]	[δίδο-τε]	—
3.	*dádatu*	διδό-ντω	—
	(= *dád-ņtu*)		

99

Bemerkungen.

1. Die eingeklammerten formen sind conjunktive imperfecti, siehe dort.

2. Weder *dad-dhí* noch *δίδωϑι* γ 370 repräsentiert die ursprachliche form. Dieselbe wird wahrscheinlich *didŏ-dhí* gewesen sein.

3. Att. *δίδοι* ist aus *δίδοε* contrahiert und also thematisch gebildet.

Ursprachliche formen.

Sg. 2. Schwache form *didŏ-dhí*
Starke form *didŏ-tō't*.

7. Particip.

Ssk.	Griech.
dádat-	*δί-δο-ντ-*.
(= *dád-ṇt*)	

Ursprachlicher schwacher stamm:
di-dŏ-nt-.

1. Sowohl ssk. *dád-at* wie gr. *δίδο-ντ-* ist der schwache stamm. Ob es daneben jemals einen starken stamm — etwa *didā'nt* — gegeben hat, bleibt unentschieden.

2. Altbulg. *dady* = *dadon(t)s* ist kein particip zum nichtthematischen praesens, sondern ist, ebenso wie *sy* = *son(t)s*, *jady* = *jadon(t)s* und *vědy* = *vědon(t)s* vom thematischen stamme gebildet.

8. Infinitiv.

Keine sich deckenden formen überliefert.
Ved. *dá'-mane* = gr. *δό-μεναι* ist starker aorist, *dá-váne* = gr. *δοῖναι* ein thematischer *ran*-aorist.

§ 20.

Medium.

Nur im Arischen und Griechischen erhalten:

1. Indikativ praesentis.

	Ssk.	Zd.	Griech.
S. 1.	*dad-é*	*dad-ê*	*δίδο-μαι*
2.	*dat-sé*	—	*δίδο-σαι*
3.	*dad-é, dat-té*	*daç-tê, daz-dê*	*δίδο-ται*
D. 1.	*dád-vahe*	—	—
2.	*dad-á'the*	—	*δίδο-σθον*
3.	*dad-á'te*	*daz-dê*	*δίδο-σθον*
P. 1.	*dád-mahe*	*dade-maidê*	*διδό-μεθα*
2.	*dad-dhvé*	—	*δίδο-σθε*
3.	*dád-ate*	*dadeñtê*	*δίδο-νται.*
(= *dád-ņte* für **dad-ņté*)			

Bemerkungen.

1. Die je einmal im R.-V. vorkommenden formen *dadá-mahe* 255, 5, *dada-te* 3. sg. 24, 7 sind analogiebildungen nach der thematischen flexion.

2. Das avestische *dade-maidê* entspricht dem indischen *dád-mahe* (e ist schwa-vokal). Die 3. dual. *daz-dê* y. 30, 4 für älteres **daç-té* wird nur verständlich, wenn in der ursprünglichen form **dadá-te* als stamm *dadá-* empfunden wurde. Dann konnte daneben nach den übrigen pluralformen regelrecht vom schwachen stamme ein **dat-té, daç-té* gebildet werden.

3. *δίδυσαι* geht auf älteres **δίδοαι* zurück. Das s der endung wurde wohl deshalb nachträglich wieder eingefügt, weil man eine contraktion von *δίδοαι* vermeiden wollte.

Ursprachliche formen.

S. 2. *di-dŏ-sai*	3. *di-dŏ-tai*
D. 1. *di-dŏ-rédhai*	
P. 1. *di-dŏ-médhai*	3. *di-dŏ-ntai.*

2. Conjunktiv praesentis.

Die im Ssk. überlieferten und als imperative verwandten conjunktivformen sind nach der thematischen flexion gebildet:

$$d\acute{a}d\hat{a}i = bh\acute{a}r\hat{a}i$$
$$d\acute{a}d\hat{a}rah\hat{a}i = bh\acute{a}r\hat{a}vah\hat{a}i$$
$$d\acute{a}d\hat{a}mah\hat{a}i = bh\acute{a}r\hat{a}mah\hat{a}i.$$

Im Homer ist kein conjunktiv praes. überliefert. Dass in dem attischen διδώμεϑα etc. nicht etwa eine einfache dehnung des stammvokales — wie in dádâmahâi —, sondern eine contraktion vorliegt, beweisen die entsprechenden formen von τί-ϑημι und ἵστημι, in welchen das ω des conjunktivs nur ein contraktionsprodukt sein kann. Die 2. sg. διδῷ ist sicher aus διδώῃ contrahiert, vgl. die bemerk. zum conj. praes. act. auf p. 96. Das ω der übrigen formen lässt sich auf ωο, ωε oder auf ωω, ωῃ oder endlich auf οω, οῃ zurückführen.

3. Indikativ imperfecti.

	Ssk.	—	Griech.
S. 1.	á-dad-i		ἐ-διδό-μαν
2.	á-dat-thás		ἐ-δίδο-σο
3.	á-dat-ta (R.-V.)		ἐ-δίδο-το
D. 1.	á-dad-rahi		—
2.	á-dad-áthâm		ἐ-δίδο-σϑον
3.	á-dad-âtâm		ἐ-διδό-σϑᾱν
P. 1.	á-dad-mahi		ἐ-διδό-μεϑα
2.	á-dad-dhvam		ἐ-δίδο-σϑε
3.	á-dad-ata (= *á-dad-ṇta)		ἐ-δίδο-ντο.
Ved.	á-dada-nta.		

Bemerkungen.

1. Der endung -i in der ersten sing. sind wir auch in der thematischen flexion begegnet (ábhare = ábhara-i). Ebenso sind die übrigen endungen bereits dort besprochen. Das σ in ἐδίδοσο ist ebenso wie in δίδοσαι erst nachträglich wieder eingesetzt.

2. Das vedische adadanta 549, 11 (= ábharanta) ist eine thematisch gebildete form.

Ursprachliche formen.

S. 2. *é-di-dŏ-so*   3. *é-di-dŏ-to*

D. 1. *é-di-dŏ-vedha*

P. 1. *é-di-dŏ-medha*   3. *é-di-dŏ-nto.*

4. Conjunktiv imperfecti.

Derjenigen bildungsweise des conjunktivs, welche sich vom iudikative nur durch das fehlen des augmentes unterscheidet, gehören an die als imperative verwandten formen: Ssk. Dual. 2. *dad-áthám*   3. *dad-átám* Plur. 2. *dad-dhvam.* Griech. *δίδοσο, δίδοοϑε, δίδοοϑον.*

5. Optativ.

	Ssk.	Zd.	Griech.
S. 1.	*dád-iy-a*	—	*διδο-í-μᾶν*
2.	*dád-i-thás*	*daidh-i-sa*	*δίδο-ι-σο*
3.	*dád-i-ta*	*daid-i-ta*	*δίδο-ι-το*
D. 1.	*dád-i-vahi*	—	—
2.	*dád-iy-áthám*	—	*δίδο-ι-σϑον*
3.	*dád-iy-átám*	—	*διδο-í-σϑᾶν*
P. 1.	*dád-i-mahi* (R.-V.)	—	*διδο-í-μεϑα*
2.	*dád-i-dhram*	—	*δίδο-ι-σϑε*
3.	*dád-i-r-an* (R.-V.)	—	*δίδο-ι-ντο.*

Bemerkung:

Die 3. plur. scheint in ihrer ursprünglichen form im Griechischen erhalten zu sein.

Der sitz des ursprachlichen accentes war die endung.

Ursprachliche formen.

S. 2. *di-dŏ-i-só*   3. *di-dŏ-i-tó*

D. 1. *di-dŏ-i-rédha*

P. 1. *di-dŏ-i-médha*   3. *di-dŏ-i-ntó.*

6. Imperativ.

Das indische *dat-sva* deckt sich wahrscheinlich ebensowenig mit δίδοσο wie *bhárasva* mit φέρεο. Die beiden griechischen formen sind vermutlich conjunktive imperfecti.
Von den übrigen formen lässt sich aus
Ssk. Sg. 3. *dat-tám*, griech. διδόσθω
keine ursprachliche form gewinnen.
Dagegen entspricht das indische *dad-atâm* = *dad-ņtá'm*
plur. 3. dem aktiven griechischen διδό-ντων (med. διδόσθων).
Da sich ein *di-dö-sro* für die 2. sg. nicht mit sicherheit
ansetzen lässt, so bleibt als einzige ursprachliche form
Pl. 3. *di-dö-ņtö'm.*

7. Particip.

Auf grund des griechischen διδόμενο- dürfen wir wohl
auf einen ursprachlichen starken stamm
$$di\text{-}dö\text{-}mén o$$
schliessen. Ein schwacher stamm *di-dö-mnó* ist nicht nachweisbar.
Das vedische *dáda-mâna* 322, 6. 41, 9 (= *bháramâna*)
ist nach der thematischen weise gebildet.

8. Infinitiv.

Keine sich deckenden formen überliefert. Aus δίδοσθαι
ist wohl auf ein ursprachliches *di-dö-dhyá'i* zu schliessen.

§ 21.

dhē „setzen, stellen".

Ein mit reduplikation gebildetes nichtthematisches praesens dieser wurzel ist sicher nur im Arischen und Griechischen
nachweisbar. In seiner flexion deckt sich dasselbe genau mit
didōmi, so dass es überflüssig ist, ein besonderes paradigma
zu geben.

Der starke stamm ist:

Im Arischen *dádhá-*, im Griechischen *τιθη-*, ursprachl. *dhidhé*.

Der schwache stamm ist:

Im Arischen *dadh-*, im Griechischen *τιθε-*, ursprachl. *dhidhé*. Im Arischen erscheint der schwache stamm *dadh-* vor tonlosen lauten und am ende als *dhat*.

Ebenso wie *dádámi* ist auch das praesens *dádhámi* im Arischen in die flexion der thematischen praesentia gelegentlich hinübergeführt. Aus dem R.-V. sind 3 derartige formen zu belegen:

> *dadhanti* (= *bháranti*) 572, 19
> *dadhantu* (= *bhárantu*) 578, 6
> *dádhate* (= *bhárate*) häufig.

――――

§ 22.

sthā „stehen".

Die reduplikationssilbe ist im Zend und im Griechischen *si*: zd. *hi-stai-ti* (für **si-stai-ti*), gr. *(σ)ί-στᾱ-τι*, im Sanskrit dagegen *ti-*: *ti-shtha-ti*. Combinieren wir beide weisen mit einander, so ergiebt sich als ursprachliche form der reduplikationssilbe *sthi-*, welche in verschiedener weise erleichtert wurde. Aus der zufälligen übereinstimmung des Avesta und des Griechischen (vgl. auch lat. *sisto*) dürfen wir nicht auf eine ursprachliche reduplikationssilbe *si-* schliessen.

Was die stammesformen anlangt, so besteht im Arischen ein durchgreifender unterschied zwischen den besprochenen wurzeln *dá* und *dhá* einerseits, und allen übrigen auf *á* auslautenden wurzeln, welche ein redupliciertes praesens bilden. Die schwachen stammesformen zu *dadá* und *dadhá* lauten *dad*, *dadh*, dagegen zu *çiçá*, *mimá* mit regelmässiger kürzung der *á* zu *i*: *çiçi*, *mimi*.

Leider lässt sich ein ursprachliches paradigma von *sthi-sthā-mi* nur auf grund der griechischen formen reconstruieren. Im Arischen ist nämlich *sthi-sthā-mi* ganz in die thematische flexion hinübergezogen. Weder im R.-V. noch im Avesta ist eine nichtthematische form überliefert:

Ved. Praes. ind. Sg. 2. *tishṭhasi*　3. *tishṭhati*　Pl. 3. *tishṭhanti*
Zd.　　　　　　　*histahi*　3. *histaiti*　　　3. *histeñti*
　　conj. Sg. 3. *tishṭhâti*　Du. 2. *tishṭhâthâs*
Ved. Impft. ind. Sg. 2. *á-tishṭhas*　3. *á-tishṭhat*　Pl. 2. *á-tishṭhata*
Zd.　　　　　　　　　　*histat̤*　conj. *histata*
Ved. Optativ Pl. 1. *tishṭhêma* u. s. w.

Um diese lücke anszufüllen, müssen wir die übrigen auf langes *â* auslautenden reduplicierten praesensstämme heranziehen, *çiçâ : çiçî, jihâ : jihi, mimâ : mimi, rarâ : rari (riri)*.
Ich werde im folgenden die griechischen formen von *ἵστᾱμι* zu grunde legen und diejenigen vedischen formen dazuschreiben, welche sich von diesen 4 anderen stämmen für dieselbe form belegen lassen.

1. Indikativ praesentis.

S. 1. *ἵ-στᾱ́-μι*　2. *ἵ-στᾱ-ς*　3. *ἵ-στᾱ́-τι*, dor.
Ved. *çi-çá-mi*　　　　　　　　 *çi-çá-ti*
D. 1. —　　　　2. *ἵ-στᾰ́-τον*　3. *ἵ-στᾰ́-τον*
P. 1. *ἵ-στᾰ́-μεν*　2. *ἵ-στᾱ-τε*　3. *ἵ-στᾰ́-ντι*, dor.
Ved. *çi-çi-masi*　　　—　　　　 —

Das attische *ἱστᾶσι* 3. plur. = *ἱστᾰ́-αντι* ist eine jüngere bildung, die ich ebenso wie *διδόᾱσι = διδό-αντι* beurteile, s. pag. 96.

Ursprachlich:

S. 1. *sthi-sthá'-mi*　2. *sthi-sthá'-si*　3. *sthi-sthá'-ti*
D. 1. *sthi-sthá-rés*　2. *sthi-sthá-thés*　3. *sthi-sthá-tés*
P. 1. *sthi-sthá-més*　2. *sthi-sthá-thé*　3. *sthi-sthá-nti*.

2. Conjunktiv praesentis.

Im Veda nicht überliefert.
Im Attischen nach der thematischen flexion gebildet: *ἱστῶ* wahrscheinlich aus *ἱστέω = ἱστήω*, urgriech. *ἱστάω, ἱστῇς* aus *ἱστέῃς = ἱστήῃς*, urgriech. *ἱστάῃς* u. s. w.
Das kretische *ἵθθαντι* ist wohl nicht aus *ἱθθά-οντι* oder *ἱθθά-ω-ντι* contrahiert, sondern unterscheidet sich vom indi-

kative durch dehnung des stammvokales. Ueber diese speciell griechische weise, den conjunktiv zu bilden, siehe p. 108.

— · — —

3. Indikativ imperfecti.

S. 1. *ἵ-στά-ν*	2. *ἵ-στά-ς*	3. *ἵ-στά*
Ved. —	*çi-çá-s*	*á-çi-çá-t*
D. 1. —	2. *ἵ-στά-τον*	3. *ἱ-στά-τᾱν*
P. 1. *ἵ-στά-μεν*	2. *ἵ-στά-τε*	3. *ἵ-στά-σαν.*

Bemerkungen.

1. Griechisch *ι* aus *ε + ι̯* in urgriechischer zeit contrahiert, nachdem der spiritus asper umgesetzt war.

2. Wie *ἐδίδοσαν, ἐτίθεσαν* auf *ἔδοσαν, ἔθεσαν,* so beruht die 3. plur. *ἵστασαν* auf dem aoriste *ἔστασαν.* Ein ursprüngliches **ἵστᾱν* ist nicht überliefert, dafür aber *ἐτίθεν, ἵεν, ἐδίδον* und im aoriste *ἔστᾱν.*

Ursprachliches paradigma.

S. 1. *é-sthi-sthā-m* 2. *é-sthi-sthā-s* 3. *é-sthi-sthā-t*

D. 1. *é-sthi-sthā-ve* 2. *é-sthi-sthā-tom* 3. *é-sthi-stha-tām*

P. 1. *é-sthi-sthā-me* 2. *é-sthi-sthā-te* 3. *é-sthi-sthā-nt.*

4. Conjunktiv imperfecti.

Zu dem sich vom indikative nur durch das fehlen des augmentes unterscheidenden conjunktive imperfecti gehören die imperativformen:

D. 2. Griech. *ἵστᾱτον,* ved. *mimītám,* ursprachl. *sthi-sthā-tóm*
    çiçitám
P. 2. Griech. *ἵστᾱτε,* ved. *çiçitá,* ursprachl. *sthi-sthā-té.*

Ferner ved. *çiçitá'm, mimītām* imper. du. 3, identisch mit griech. **ἱστάτᾱν,* nicht mit *ἱστάτων.*

— ·

5. Optativ.

S. 1. *ἱ-στά-ίη-ν* 2. *ἱ-στά-ί-ης* 3. *ἱ-στα-ίη*
    Ved. *mi-mi-yā́-s*

D. 1. —   2. *i-στᾰ-ῖ-ιον*   3. *i-στᾰ-ῖ-τᾱν*
P. 1. *i-στᾰ-ῖ-μεν*   3. *i-στᾰ-ῖ-τε*   3. *i-στᾰ-ῖ-εν*
            (oder = *i-στᾰ-ᾰῐ-ν?*).

Ursprachliches paradigma.

S. 1. *sthi-sthä-jē'-m*   2. *sthi-sthä-jē'-s*   3. *sthi-sthä-jē'-t*
D.1. *sthi-sthä-i-vē'*   2. *sthi-sthä-i-tóm*   3. *sthi-sthä-i-tä'm*
P.1. *sthi-sthä-i-mē'*   2. *sthi-sthä-i-té'*   3 *sthi-sthä-jē'-nt?*

6. Imperativ.

Eigentliche imperativformen sind:
Gr. [*ῖ-στα*], ved. *mimä-hi, çiçi-hi, riri-hi.*
Gr. *ῖ-στά-τω*, ved. *mimä-tu, çiçä-tu.*
Gr. 3. du. *i-στά-των*, 3. plur. *i-στά-ντων.*

Bemerkungen.

1. Dem vokale nach müssen wir attisch *ῖστη* mit *δίδω*, *τίθη* gleichsetzen und das *ι* = urgr. *ä* als einfache länge fassen. Gegen diese deutung sprechen aber die attischen formen *δίδου, τίθει.* Sollte also *ῖ-στη* doch vielleicht aus *ῖ-στά-ε* contrahiert und das *η* für *ä* aus dem indikative entlehnt sein? Die endung -*θι* ist im aoriste erhalten: *στᾰ-θι.*

2. *iστά-ντων* ist medialform.

Ursprachliche formen.

S. 2. *sthi-sthä-dhi,* stark *sthi-sthä-tö't.*

7. Infinitiv.

Griech. *i-στά-μεναι.*
Ursprachl. *sthi-sthä-ménai?*

8. Particip.

Ein aktives particip im Veda nicht überliefert.
Aus gr. *ῖστᾰντ-* dürfen wir wohl auf einen ursprachlichen schwachen stamm
         sthi-sthä-nt-
schliessen, vgl. gr. *βι-βᾰ-ντ* = ved. *ji-y-at* für **ji-gi-ṇt.*

108

Medium.

1. Indikativ praesentis.

S. I. ἴ-στᾰ-μαι   2. ἴ-στᾰ-σαι   3. ἴ-στᾰ-ται
Ved. *mi-m-e*   *mi-mí-te, ṛi-ṛí-te, ji-hí-te*
D. 1.   —   2. ἴ-στᾰ-σϑον   3. ἴ-στᾰ-σϑον
                                          mi-m-áte, ji-h-áte
P. 1. ἱ-στᾰ-μεϑα   2. ἴ-στᾰ-σϑε   3. ἴ-στᾰ-νται
                                            Ved. *ji-h-áte, mi-m-ate.*

Bemerkungen:

Vor vokalisch anlautenden endungen verliert der arische schwache stamm sein *i*, so in *mim-e* für *mimî-e, *mim-áte* für *mimî-áte, *mim-ate* plur. 3. = *mim-ṇte für *mimî-ṇté.

Ursprachliche formen:

S. 2. *sthi-sthä-sai*   3. *sthi-sthä-tai*
D. 1. *sthi-sthä-védhai*
P. 1. *sthi-sthä-médhai*   3. *sthi-sthä-ntai.*

2. Conjunktiv praesentis.

Im Veda nicht überliefert.

Im Attischen nach analogie der thematischen flexion gebildet: ἱστῶμαι wahrscheinlich aus *ἱστέωμαι = *ἱστήωμαι für *ἱστάωμαι, ἱστῇ aus *ἱστέῃ = *ἱστήῃ für *ἱστάῃ u. s. w. Freilich kann man auch von *ἱστήομαι, *ἱστήεται ausgehen.

In einzelnen dialekten begegnen wir einer zweiten bildungsweise des conjunktivs, welche darin besteht, dass der — im indikative kurze — stammvokal gedehnt wird. Die beispiele hat Curtius, Verb II², 81 zusammengestellt: es sind καϑ-ίστᾱται C.I.G. 2671 aus Kalymnia, ἐπισυνίστᾱτοι bauinschrift von Tegea z. 19, παρίστᾱται mysterieninschrift von Andania z. 72. Von aktiven formen gehört hierher das bereits erwähnte kretische ἴϑϑᾱντι. Freilich könnte das lange α in den singularformen aus ᾱῃ oder ᾱε (nicht aus άε oder άῃ), in der pluralform aus αο oder αω contrahiert sein. Doch sprechen gegen diese deutung einmal die conjunktive προτί-ϑῃτι, κατασκευάσϑῃντι, προγράφῃντι (Curtius a. a. o. p. 82), die schwerlich aus *τιθή-ο-ντι u. s. w. contrahiert sind, und ferner die formen ζώννυνται, ῥήγνῦται, ῥήγνῦνται, für welche die annahme einer contraktion ganz ausgeschlossen ist.

3. Indikativ imperfecti.

S. 1. ἰ-στἄ-μᾶν   2. ἴ-στᾰ-σο   3. ἴ-στᾰ-το
         Ved. á-mi-mi-thás   á-mi-mi-ta, çi-çi-tá, á-ji-hi-ta
D. 1.   —   2. ἴ-στᾰ-σθον   3. ἰ-στἄ-σθᾶν
P. 1. ἰ-στἄ-μεθα   2. ἴ-στᾰ-σθε   3. ἴ-στᾰ-ντο.

Ursprachliche formen.

S. 2. é-sthi-sthä-so   3. é-sthi-sthä-to
D. 1. é-sthi-sthä-redha
P. 1. é-sthi-sthä-medha   3. é-sthi-sthä-nto.

4. Conjunktiv imperfecti.

Zum conjunktive imperfecti gehören die zum teil als imperative verwandten formen:

S. 2. Griech. ἴ-στᾰ-σο   ved. ra-ri-thás
D. 2.   ἴ-στᾰ-σθον   ra-r-áthám, mi-m-áthám
   3.   ji-h-átám
P. 2.   ἴ-στᾰ-σθε   ra-ri-dhvam.

Da die endung -so in der 2. sg. sicher ursprachlich war, so lässt sich als ursprachliche form sthi-sthä-só ansetzen.

5. Optativ.

Im Veda nicht belegt.

S. 1. ἰ-στᾰ-ί-μᾶν   2. ἰ-στᾰ-ί-ο   3. ἰ-στᾰ-ί-το
D. 1.   —   2. ἰ-στᾰ-ί-σθον   3. ἰ-στᾰ-ί-σθαν
P. 1. ἰ-στᾰ-ί-μεθα   2. ἰ-στᾰ-ί-σθε   3. ἰ-στᾰ-ί-ντο.

Ursprachliche formen.

S. 2. sthi-sthä-ï-só   3. sthi-sthä-ï-tó
D. 1. sthi-sthä-ï-rédha
P. 1. sthi-sthä-ï-médha   3. sthi-sthä-ï-ntó.

6. Imperativ.

Echte imperativformen sind:

S. 2. — Ved. *ji-hi-shra*
3. Griech. *i-στά-σϑω*   *ji-hi-tám*
P. 3.   *i-στά-σϑων*   *ji-h-atâm*
                    (= *ji-h-ytám*).

Da vedisch *ji-h-atâm* sich mit dem aktiven griechischen
i-στά-ντων deckt, so ergiebt sich als ursprachliche form:
Plur. 3. *sthi-sthä-ntö'm*.

7. Particip.

Griech. *i-στά-μενος*.
Ved. *çí-çä-na, ji-hä-na, mí-mä-na*.

8. Infinitiv.

Im Veda nicht überliefert. Griech. *ïστάσϑαι*.
Ursprachlich *sthi-sthä-dhyä'i?*

§ 23.

gä „gehen".

Ein praesens *βί-βä-μι* (= ursprachl. *gi-gä'-mi*) ist im
Griechischen nur in zwei formen erhalten: dem homerischen
participium *βιβάς* z. b. in *μακρά βιβάς O 307, H 213* und
der durch Pollux IV, 102 überlieferten dorischen form *βίβαντι*
plur. 3. ind. praes. (vgl. Ahrens, De dial. Dorica p. 312, 483).

Im Rig-Veda sind überliefert *jigási, jigáti, jigátu*. In der
2. plur. *jigáta* (erweitert *jigátana*) ist der volle stamm für den
schwachen eingetreten, was gerade in dieser person auch bei
anderen nichtthematischen stämmen geschieht, z. b. *stäutá* für
stutá, dádáta für *dat-tá*.

Einmal ist ferner — ebenfalls mit starkem stamme —
überliefert *jigátam* 2. du. (für *jigitám*) und vom imperfectum
ajigát.

Participium *jigat-* im genitive *jigatas. jigat-* steht für

*jí-g-ut, der schwache stammvokal *i* ist vor folgendem vokale
ausgestossen.

Soweit wir aus diesen geringen resten schliessen können,
wurde die wurzel *jigâ* ebenso wie die wurzeln *çiçâ*, *jihâ*,
mimâ und *rirâ* abgewandelt. Die flexion des ursprachlichen
ǵi-yâ'-mi ist also mit der von *sthi-sthâ'-mi* gleichlautend gewesen.

3. Die Nasalklassen.

Das charakteristische derselben ist, dass in den stamm
ein nasalinfix eingeschoben wird, welches in den starken
formen als *né*, in den schwachen als *n* erscheint.

§ 24.
Klasse 1.

Der nasal tritt in die kurzform eines einsilbigen
consonantischen stammes.

Diese klasse ist nur im Arischen nachweisbar. Da jedoch
wahrscheinlich lateinische verben wie *jungo*, *fungor* auf einem
indogermanischen *ju-né-g-mi* : *ju-n-g-més*, *bhu-né-g-mi* : *bhu-n-g-
més* beruhen, so will ich unter zugrundelegung der arischen
formen ein ursprachliches paradigma construieren:

I. Activum.
1. Indikativ praesentis.

S. 1. *yunájmi*	2. *yunákshi*	3. *yunákti*
(zd. *cinahmi*)		(zd. *cinaçti*)
D. 1. *yuñjvás*	2. *yunákthás*	3. *yunáktás*
P. 1. *yuñjmás*	2. *yunákthá*	3. *yuñjánti*.

Ursprachliches paradigma.

S. 1. *ju-né-g-mi*	2. *ju-né-g-si*	3. *ju-né-g-ti*
D. 1. *ju-n-g-rés*	2. *ju-n-g-thés*	3. *ju-n-g-tés*
P. 1. *ju-n-g-més*	2. *ju-n-g-thé*	3. *ju-n-g-énti*.

2. Conjunktiv praesentis.

Zwischen den starken stamm und die endung tritt *a*. Dieses ist in den ersten personen und der 3. plur. als *o*, in den zweiten und den übrigen dritten personen als *e* aufzufassen.

Aus dem Veda lässt sich für diese praesensklasse nur eine form anführen:

Dual. 3. *a-ñ-j-a-tas*,

welche unregelmässiger weise vom schwachen stamme gebildet ist.

3. Indikativ imperfecti.

S. 1. *áyunajam*	2. *áyunak*	3. *áyunak*
D. 1. *áyuñjva*	2. *áyuñktam*	3. *áyuñktām*
P. 1. *áyuñjma*	2. *áyuñkta*	3. *áyuñjan.*

Bemerkungen:

áyunajam = idg. *é-ju-ne-g-m̥*, *áyuñjan* = idg. *é-ju-n-g'-ru(t)*, vgl. pag. 68 und 69.

Ursprachliches paradigma.

S. 1. *é-ju-ne-g-m̥*	2. *é-ju-ne-g-s*	3. *é-ju-ne-g-t*
D. 1. *é-ju-n-g-re*	2. *é-ju-n-g-tom*	3. *é-ju-n-g-tām*
P. 1. *é-ju-n-g-me*	2. *é-ju-n-g-te*	3. *é-ju-n-g-en(t).*

4. Conjunktiv imperfecti.

Mit dem conjunktivelement *a* (= idg. *e* und *o*) sind gebildet die drei vedischen formen:

S. 2. *yunájas* = ursprachl. *ju-né-g'-e-s*
3. *yunájat* = „ *ju-né-g'-e-t*
P. 3. *yunájan* = „ *ju-né-g-o-n(t).*

Die formen *yunájāra* (ved. *rinácāra*) und *yunájāma* (beide auch als imperative verwendet) sind thematisch gebildet. Wir sollten dafür **yunájara*, **yunájama* erwarten.

Zu dem vom indikative nur durch das fehlen des aug-

mentes unterschiedenen conjunktive imperfecti gehören endlich
die vedischen imperativformen:

D. 2. *yuṅktám* (überl. *pṛuktám*) = ursprachl. *ju-n-g-tóm*
3. *yuṅktā'm* = „ *ju-n-g-tā'm*
P. 2. *yuṅktá* (überl. *vṛúkta*) = „ *ju-n-g-té*.

5. Optativ.

S. 1. *yuñjyā'm*	2. *yuñjyā's*	3. *yuñjyā't*
D. 1. *yuñjyā'va*	2. *yuñjyā'tam*	3. *yuñjyā'tām*
P. 1. *yuñjyā'ma*	2. *yuñjyā'ta*	3. *yuñjyús*.

Bemerkung:
Im plural müssen wir für die ursprache die schwache
form des moduskennzeichens, also *i*, ansetzen.

Ursprachliches paradigma.

S. 1. *ju-n-g'-ii̯ē'-m*	2. *ju-n-g'-ii̯ē'-s*	3. *ju-n-g'-ii̯ē'-t*
D. 1. *ju-n-g'-i-ré*	2. *ju-n-g'-i-tóm*	3. *ju-n-g'-i-tā'm*
P. 1. *ju-n-g'-i-mé*	2. *ju-n-g'-i-té*	3. *ju-n-g'-ii̯ē'-n(t)*.

6. Imperativ.

Echte imperativformen sind:
S. 2. *yuṅgdhí* 3. *yunáktu* P. 3. *yuñjántu*.

Von ihnen ist ursprachlich nur
ju-n-g-dhí.

7. Particip.

Starker stamm *yuñjánt-*, schwacher stamm *yuñjat-*.

Ursprachlich

Stark *ju-n-gént-*, schwach *ju-n-gt-*.

8

II. Medium.

1. Indikativ praesentis.

S. 1. *yuñjé*   2. *yuṅkshé*   3. *yuṅkté*
D. 1. *yuñjváhe*   2. *yuñjá'the*   3. *yuñjá'te*
P. 1. *yuṅjmáhe*   2. *yuṅgdhvé*   3. *yuñjaté, yuñjáte.*

Ursprachliche formen.

S. 2. *ju-n-g-sat*   3. *ju-n-g-tat*
D. 1. *ju-n-g-védhai*
P. 1. *ju-n-g-médhai*   3. *ju-n-g-ṇtat.*

2. Conjunktiv praesentis.

Mit dem conjunktivvokale *a* (= idg. *e* und *o*) ist gebildet
das Vedische

S. 3. *yunáj-a-te* 543, 1 = ursprachl. *ju-né-g'-e-tai.*

Nach der thematischen flexion sind gebildet

S. 1. *yunájái*
P. 1. *yunájámahái*
   2. *yunájádhvái.*

3. Indikativ imperfecti.

S. 1. *áyuñji*   2. *áyuṅkthás*   3. *áyuṅkta*
D. 1. *áyuñjvahi*   2. *áyuñjáthám*   3. *áyuñjátám*
P. 1. *áyuñjmahi*   2. *áyuṅgdhvam*   3. *áyuñjata.*

Ursprachliche formen.

S. 2. *é-ju-n-g-so*   3. *é-ju-n-g-to*
D. 1. *é-ju-n-g-vedha*
P. 1. *é-ju-n-g-medha*   3. *é-ju-n-g-ṇto.*

4. Conjunktiv imperfecti.

Conjunktive imperfecti sind die als imperative gebrauchten
formen

D. 2. *yuñjá'thám* R.-V.   3. *yuñjá'tám*
P. 2. *yuṅgdhvám* R.-V.

5. Optativ.

S. 1. *yuñjiyá*   2. *yuñjithá's*   3. *yuñjítá*
D. 1. *yuñjiváhi*   2. *yuñjiyá'thām*   3. *yuñjiyá'tām*
P. 1. *yuñjimáhi*   2. *yuñjídhvám*   3. *yuñjírán.*

Ursprachliche formen.

S. 2. *j u - n -g'-ī-só*   3. *j u - n -g'-ī-tó*
D. 1. *ju-n-g'-ī-védha*
P. 1. *ju-n-g'-ī-médha*   3. *ju-n-g'-ī-utó.*

6. Imperativ.

Echte imperativformen sind:

S. 2. *yuñkshvá*   3. *yuñktá'm*
P. 3. *yuñjátām,* älter *yuñjatá'm.*

Ursprachlich *ju-n-g-ṇtó'm.*

7. Particip.

Ved. *yuñjāná.*

---

§ 25.

Klasse 2.

Der nasal tritt in einen zweisilbigen auf *ā*
auslautenden stamm.

Diese klasse ist aus dem Arischen und dem Griechischen
zu belegen. Als beispiel wähle ich:

c ṛ - n é - ā - m i „mischen".

Die starke stammesform erscheint im Indischen als *çṛṇá*
(das verhältnis von *çri* zu gr. *κιρ* = idg. *c ṛ* ist noch dunkel),
im Griechischen als *κιρνā* = **κ ṛ ṇā*. Die schwache stammesform, idg. *c ṛ-n-ā*, musste im Indischen zu *çṛṇi*, im Griechischen zu *κιρṇ̆ā* = *κ ṛ ṇ̆ā* werden.

Die folge davon ist, dass die stämme *çṛṇá : çṛṇi* und

8*

κιρνᾶ : κιρνᾰ in ihrer flexion genau mit den reduplicierenden stämmen zusammenfallen. Der starke stamm ¢rinâ, κιρνᾶ entspricht dem tishṭhá, ἰστᾶ, der schwache ¢riṇí, κιρνᾰ dem *tishthí (mimi), ἰστᾰ. Ich werde deshalb im folgenden nur paradigmen geben und ev. kurze bemerkungen daranschliessen. Das genauere über die einzelnen formen mag man in den vorigen paragraphen nachsehen.

Activum.

1. Indikativ praesentis.

	Ssk.	Griech.
S. 1.	çriṇá'mi	κίρνᾱμι
2.	çriṇá'si	κίρνᾱς
3.	çriṇá'ti	κίρνᾱτι dor.
D. 1.	çriṇivás	—
2.	çriṇíthás	κίρνᾰτον
3.	çriṇitás	κίρνᾰτον
P. 1.	çriṇimás	κίρνᾱμες dor.
2.	çriṇithá	κίρνᾰτέ
3.	çriṇánti	κίρνᾱντι dor.

Bemerkungen.

In çriṇánti (-ánti = -énti) ist vor der vokalisch anlautenden endung der schwache stammvokal í ausgestossen. Ursprachlich hiess die form, wie die entsprechende form der nu-klasse ṛṇuvánti = *ṛṇu-ánti lehrt, çṛṇá-énti.

Ursprachliches paradigma.

S. 1. çṛ-né-ă-mi   2. çṛ-né-ă-si   3. çṛ-né-ă-ti
D. 1. çṛ-n-ă-rés   2. çṛ-n-ă-thés   3. çṛ-n-ă-tés
P. 1. çṛ-n-ă-més   2. çṛ-n-ă-thé   3. çṛ-n-ă-énti.

2. Conjunktiv praesentis.

Der conjunktiv praesentis ist im Griechischen nach der thematischen flexion gebildet:

κιρνάω, κιρνάῃς u. s. w.

117

Eine echte mit dem conjunktivvokale *a* vom starken stamme gebildete conjunktivform ist

P. 2. *çrinátha* = idg. *cṛ-né-ă-e-the.*

Dass *á* aus *á+a* contrahiert ist, beweist die gleiche form der sogenannten *nu*-klasse

ṛuáratha = idg. *ṛ-né-ă-e-the.*

3. Indikativ imperfecti.

	Ssk.	Griech.
S. 1.	*áçrinám*	*ἐκίρναν*
2.	*áçrinās*	*ἐκίρνας*
3.	*áçrinát*	*ἐκίρνα*
D. 1.	*áçriníva*	—
2.	*áçrinítam*	*ἐκιρνᾶτον*
3.	*áçrinítām*	*ἐκιρνάτᾱν*
P. 1.	*áçrinima*	*ἐκίρναμεν*
2.	*áçrinita*	*ἐκίρνᾱτε*
3.	*áçrinan*	*ἔκιρνᾱν.*

Bemerkung:

Die 3. plur. hiess ursprachlich *é-cṛ-n-ă-en(t),* vgl. das praesentische *cṛ-n-ă-énti.*

Ursprachliches paradigma.

S. 1. *é-cṛ-ne-ă-m* 2. *é-cṛ-ne-ă-s* 3. *é-cṛ-ne-ă-t*
D. 1. *é-cṛ-n-ă-ve* 2. *é-cṛ-n-ă-tom* 3. *é-cṛ-n-ă-tăm*
P. 1. *é-cṛ-n-ă-me* 2. *é-cṛ-n-ă-te* 3. *é-cṛ-n-ă-ent.*

4. Conjunktiv imperfecti.

Conjunktivformen, welche sich vom indikative nur durch das fehlen des augmentes unterscheiden, sind die imperative:

D. 2. Ssk. *çrinitám* = gr. *κίρνᾶτον,* ursprachl. *cṛ-n-ă-tóm*
  3. „ *çrinitá'm,* „ *cṛ-n-ă-tá'm*
P. 2. „ *çrinitá* = „ *κίρνᾶτε,* „ *cṛ-n-ă-té.*

Conjunktivformen, welche durch anfügung eines *ŏ* (in den ersten personen und der 3. plur.) oder *ĕ* (in den zweiten und

übrigen dritten personen) an den starken stamm gebildet sind,
lassen sich aus der älteren indischen sprache durch folgende
beispiele belegen:

S. 2. çriṇā́s = ursprachl. $c\bar{r}\text{-}né\text{-}ă\text{-}e\text{-}s$
3. çriṇā́t = „ $c\bar{r}\text{-}né\text{-}ă\text{-}e\text{-}t$
P. 1. çriṇā́ma = „ $c\bar{r}\text{-}né\text{-}ă\text{-}ō\text{-}me$
3. çriṇā́n = „ $c\bar{r}\text{-}né\text{-}ă\text{-}o\text{-}n(t)$.

Dass das stammhafte á in der 2. 3. sg. und 3. plur. aus
á+a (= idg. ā+o oder ā+e) contrahiert ist, beweisen die
gleichen formen der sogenannten nu-klasse:

S. 2. ṛṇávas = ursprachl. $r\text{-}né\text{-}ŭ\text{-}e\text{-}s$
P. 3. ṛṇávan = „ $r\text{-}né\text{-}ŭ\text{-}o\text{-}n(t)$.

Nur çriṇā́ma ist aus *çriṇā́-ā-ma (= idg. $c\bar{r}\text{-}né\text{-}ă\text{-}ō\text{-}me$)
entstanden, vgl. ṛṇáráma = idg. $r\text{-}né\text{-}ŭ\text{-}ō\text{-}me$.

_____

5. Optativ.

Im Arischen ist der starke stamm çriṇí-yā- ganz durchgeführt. Nur die 3. plur. lautet çriṇiyús.

Im Griechischen erscheint in den drei personen des sg.'s
der starke stamm κιρ-νᾰ-τι,- im plur. und du. κιρ-νᾰ-ι neben
κιρνᾰ-ιη-, die 3. plur. lautet κιρναῖεν.

Ursprachliches paradigma.

S. 1. $c\bar{r}\text{-}n\text{-}ă\text{-}i\acute{e}\text{-}m$ 2. $c\bar{r}\text{-}n\text{-}ă\text{-}i\acute{e}\text{-}s$ 3. $c\bar{r}\text{-}n\text{-}ă\text{-}i\acute{e}\text{-}t$
D. 1. $c\bar{r}\text{-}n\text{-}ă\text{-}i\text{-}ré$ 2. $c\bar{r}\text{-}n\text{-}ă\text{-}i\text{-}tóm$ 3. $c\bar{r}\text{-}n\text{-}ă\text{-}i\text{-}tā́m$
P. 1. $c\bar{r}\text{-}n\text{-}ă\text{-}i\text{-}mé$ 2. $c\bar{r}\text{-}n\text{-}ă\text{-}i\text{-}té$ 3. $c\bar{r}\text{-}n\text{-}ă\text{-}i\acute{e}\text{-}n(t)$.

_____

6. Imperativ.

Echte imperativformen sind:

S. 2. Ssk. çriṇihí   Griech. κίρνᾱθι, att. κίρνᾱ
3. „ çriṇā́tu   „ κιρνᾱ́τω
D. 3.   „ κιρνᾱ́των
P. 3. „ çriṇántu   „ κιρνᾱ́ντων (med.).

Bemerkungen:

Ein κίρνᾱθι erschliesse ich aus dem ἔλλᾱθι des Simonides

K. 49, welches wahrscheinlich für *ἔλ-νᾶ-θι steht. Ein zweites beispiel dafür, dass die starke stammesform (ἔλω) an stelle der schwachen (ʾλα) erscheint, bietet das homerische πίρνᾱμι (neben πίρνᾱμι = *πρνᾱμι).

Die form κίρνᾱ = *κίρνᾱι ist thematisch gebildet.

Ursprachliche formen.

S. 2. cṛ-n-ă-dhí, stark cṛ-n-ă-tō'i.

7. Particip.

Arisch çṛnánt steht für *çṛṇí-ánt, ist also starker stamm (idg. cṛ-n-ă-ént). Das gr. κίρνᾱ-ντ ist schwache form.

Ursprachlich.

Starker stamm cṛ-n-ă-ént-, schwacher stamm cṛ-n-ă-nt-.

Für den infinitiv sind keine sich deckenden formen überliefert.

Medium.

1. Indikativ praesentis.

	Ssk.	Griech.
S. 1.	çṛné̆	κίρνᾱμαι
2.	çṛṇí-shé	κίρνᾱσαι
3.	çṛṇí-té	κίρνᾱται
D. 1.	çṛṇí-váhe	—
2.	çṛṇ-á'the	κίρνᾱσθον
3.	çṛṇ-á'te	κίρνᾱσθον
P. 1.	çṛṇí-máhe	κιρνᾱμεθα
2.	çṛṇí-dhvé	κίρνᾱσθε
3.	çṛṇ-áte (= çṛṇ-ṇté)	κίρνᾱνται.

Vor den vokalisch anlautenden endungen verliert im Indischen der schwache stamm sein í.

Ursprachliche formen.

S. 2. cṛ-n-ă-sai   3. cṛ-n-ă-tai

D. 1. $c\underset{.}{r}$-n-ă-$védhai$

P. *1. $c\underset{.}{r}$-n-ă-$médhai$ 3. $c\underset{.}{r}$-n-ă-$ntai$.

2. Conjunktiv praesentis.

Der conjunktiv praes. wird sowohl im Griechischen wie im Indischen nach der thematischen flexion gebildet.

Gr. κιρνάωμαι : κιρνῶμαι, κιρνάῃ : κιρνῇ : κιρνέῃ : κιρνῇ etc. Im Ssk. sind überliefert:

S. 1. çriṇā́i   2. çriṇā́sāi   3. çriṇā́tāi
D. 1. çriṇā́rahāi
P. 1. çriṇā́mahāi   3. çriṇā́ntāi.

Das stammauslautende *ā* dieser formen ist aus *ā + a* contrahiert, wie die entsprechenden formen der *nu*-klasse beweisen: *sunávāi* = idg. *su-né-u̯-ōi* (ebenso *çriṇā́i* = *çri-ṇā́-āi* = idg. *c̨r-né-ā-ōi*), *sunávātāi, sunávācahāi, sunávāmahāi*.

3. Indikativ imperfecti.

	Ssk.	Griech.
S. 1.	áçriṇ-i	ἐκιρνάμᾱν
2.	áçriṇī-thās	ἐκίρνᾶσο
3.	áçriṇī-ta	ἐκίρνᾶτο
D. 1.	áçriṇī-rahi	
2.	áçriṇ-āthām	ἐκιρνᾶσθον
3.	áçriṇ-ātām	ἐκιρνάσθαν
P. 1.	áçriṇī-mahi	ἐκιρνάμεθα
2.	áçriṇī-dhvam	ἐκίρνᾶσθε
3.	áçriṇ-ata (= áçriṇ-ṇta)	ἐκίρνᾶντο.

Ursprachliche formen.

S. 2. é-c$\underset{.}{r}$-n-ă-so 3. é-c$\underset{.}{r}$-n-ă-to
D. 1. é-c$\underset{.}{r}$-n-ă-$vedha$
P. 1. é-c$\underset{.}{r}$-n-ă-$medha$ 3. é-c$\underset{.}{r}$-n-ă-nto.

4. Conjunktiv imperfecti.

Als imperative fungieren die formen:
S. 2. Ssk.   —   Griech. κίρνᾶσο

D. 2. Ssk. *çriṇ-á'thām*   Griech. *κίρνᾱσθον*
3. „ *çriṇ-á'tām*   „   —
P. 2. „ *çriṇí-dhvám*   „   *κίρνᾱσθε.*

5. Optativ.

Im Ssk. der stamm *çriṇí* aus *çriṇí* + modusvokal *i*. Der stamm *çriṇí* hat vor folgendem vokale das schwache *i* verloren.
S. 1. *çriṇ-iy-á*   D. 2. *çriṇ-iy-á'thām*   3. *çriṇ-iy-á'tām*
P. 3. *çriṇ-í-rán.*
Im Griechischen der stamm *κιρ-νᾰ-ι-*.

Ursprachliche formen.

S. 2. *cṛ-n-ă-i-só*   3. *cṛ-n-ă-i-tó*
D. 1. *cṛ-n-ă-i-védha*
P. 1. *cṛ-n-ă-i-médha*   3. *cṛ-n-ă-i-ntó.*

6. Imperativ.

Echte imperativformen sind:
S. 2. Ssk. *çriṇí-shvá*   Griech.   —
3. „ *çriṇí-tá'm*   „   *κιρνάσθω*
P. 3. „ *çriṇ-átām* aus *çriṇ-ṇtá'm*   „   *κιρνάσθων.*

Da *çriṇ-átām* identisch ist mit dem aktiven griechischen *κιρνάντων*, so ergiebt sich als

Ursprachliche form
Pl. 3. *cṛ-n-ă-ntö'm.*

---

7. Particip.

Gr. *κιρνά-μενος*, ssk. *çriṇâ-ná-.*

---

8. Infinitiv.

Gr. *κίρνασθαι*, ursprachlich *cṛ-n-a-dhyä'i?*

---

§ 26.

Klasse 3.

Der nasal tritt in einen zweisilbigen auf ū auslautenden stamm.

ŗ-né-ŭ-mi „erheben".

Der starke stamm erscheint im Indischen als *ŗṇo* (=
*ŗṇáu), im Griechischen als *ὄρνῡ* (= *ρνέῠ mit prothet. *o*),
der schwache im Indischen als *ŗṇu*, im Griechischen als *ὄρνῠ*.
In ihrer flexion deckt sich diese klasse genau mit der
vorigen. Die einzige abweichung im Indischen besteht darin,
dass vor den vokalisch anlautenden endungen der schwache
stamm nicht etwa seine auslautende kürze verliert (vgl. *çṛiṇáte*
= *çṛiṇ-ṇté für *çṛiṇi-ṇté), sondern dieselbe in *v* verwandelt
(vgl. *sunváte* = *sunv-ṇté = *sunu-ṇté.

Activum.

1. Indikativ praesentis.

	Ssk.	Griech.
S. 1.	*ŗṇó-mi*	*ὄρνῡμι*
2.	*ŗṇó-shi*	*ὄρνῑς*
3.	*ŗṇó-ti*	dor. *ὄρνῡτι*, ion. *ὄρνῡσι*
D. 1.	*ŗṇu-vás*	—
2.	*ŗṇu-thás*	*ὄρνῠτον*
3.	*ŗṇu-tás*	*ὄρνῠτον*
P. 1.	*ŗṇu-más*	*ὄρνῠμες*
2.	*ŗṇu-thá*	*ὄρνῠτε*
3.	*ŗṇv-ánti*	dor. *ὄρνῡντι*, aeol. *ὄρνῡσι*
		att. *ὀρνύᾱσι* (= *ὀρνύ-αντι).

Bemerkungen.

In der 3. pl. ist die ursprachliche form im Ssk. erhalten:
ŗṇu-énti. Die urgriechische form scheint *ὄρνῡ-ντι* gewesen zu
sein, vgl. z. b. *ῥήγνῡσι* P 751 für *ῥήγνῠντι. Das attische
ὀρνύᾱσι = *ὀρνύ-αντι halte ich für eine analogiebildung nach
διδόᾱσι, *τιθέᾱσι*, *ἴᾱσι* u. a. Sie wurde dadurch erforderlich,

dass im Attischen die 3. sg. ὄρνῦσι, assibiliert aus ὄρνῦτι,
mit der 3. pl. *ὄρνυσι, aus *ὄρνῦντι, zusammenfiel.

Ursprachliches paradigma.

S. 1. *r-né-ŭ-mi* 2. *r-né-ŭ-si* 3. *r-né-ŭ-ti*
D. 1. *r-n-ŭ-vés* 2. *r-n-ŭ-thés* 3. *r-n-ŭ-tés*
P. 1. *r-n-ŭ-més* 2. *r-n-ŭ-thé* 3. *r-n-ŭ-énti.*

2. Conjunktiv praesentis.

Im Veda ist nur überliefert die mit dem conjunktivvokale
a (= idg. *e*) gebildete form

Pl. 2. *rṇávatha* = idg. *r-né-ŭ-e-the.*

Griech. nach der thematischen flexion ὀρνύω, ὀρνύῃς
u. s. w.

3. Indikativ imperfecti.

	Ssk.	Griech.
S. 1.	*á-rṇav-am*	ὤρνῦν
2.	*á-rṇô-s*	ὤρνῦς
3.	*á-rṇô-t*	ὤρνῦ
D. 1.	*á-rṇu-va*	—
2.	*á-rṇu-tam*	ὠρνύτον
3.	*á-rṇu-tám*	ὠρνύτάν
P. 1.	*á-rṇu-ma*	ὤρνύμεν
2.	*á-rṇu-ta*	ὤρνῦτε
3.	*á-rṇv-an*	ὤρνῖσαν.

Bemerkungen.

1. *árṇavam* entspricht genau dem griechischen ὤρνῦν.
Es steht für *árṇav-ṃ.*

2. Das griechische ὤρνισαν beruht auf dem s-aoriste.
Die ursprüngliche griechische form war ὤρνῦν. Das arische
á-rṇv-an, für idg. *é-rṇŭ-en(t)*, bildet die älteste form.

Ursprachliche formen.

S. 1. *é-r-ne-ṇ-ṃ* 2. *é-r-ne-ŭ-s* 3. *é-r-ne-ŭ-t*

D. 1. *é-r-n-ŭ-ve*　　2. *é-r-n-ŭ-tom*　　3. *é-r-n-ŭ-tām*

P. 1. *é-r-n-ŭ-me*　　2. *é-r-n-ŭ-te*　　3. *é-r-n-ŭ-en(t)*.

4. Conjunktiv imperfecti.

Conjunktivformen, welche sich vom indikative nur durch das fehlen des augmentes unterscheiden, sind die imperative:

D. 2. Ssk. *rṇu-tám* = gr. *ὄρνῠτον*, ursprachl. *r-n-ŭ-tóm*.

3. „ *rṇu-tā'm*

P. 2. „ *rṇu-tá* = „ *ὄρνῠτε*, 　„ 　*r-n-ŭ-té*.

Conjunktivformen, welche dem starken stamme ein *ŏ* (in den ersten personen und der 3. plur.) oder *ĕ* (in den zweiten und übrigen dritten personen) anfügen, sind die 3 im Veda erhaltenen formen:

S. 2. *rṇávas*, ursprachl. *r-né-ŭ-e-s*

3. *rṇávat*, 　„ 　*r-né-ŭ-e-t*

P. 3. *rṇávan*, 　„ 　*r-né-ŭ-o-n(t)*.

Nach der thematischen flexion sind gebildet:

D. 1. *rṇáráva* und P. 1. *rṇáváma*.

5. Optativ.

Im Indischen ist der stamm mit dem starken moduskennzeichen ganz durchgeführt: *rṇu-yá-*.

Im Attischen nach der thematischen flexion *ὀρνύοιμι, ὀρνίοις* u. s. w.

Ursprachliche formen.

S. 1. *r-n-ŭ-i̯é'-m*　　2. *r-n-ŭ-i̯é'-s*　　3. *r-n-ŭ-i̯é'-t*

D. 1. *r-n-ŭ-i-vé*　　2. *r-n-ŭ-i-tóm*　　3. *r-n-ŭ-i-tá'm*

P. 1. *r-n-ŭ-i-mé*　　2. *r-n-ŭ-ī-té*　　3. *r-n-ŭ-i̯é'-nt*.

6. Imperativ.

Echte imperativformen sind:

S. 2. Ssk. *rṇu-hí* = homer. *ὄρνῠ-θι*

3. „ *rṇó-tu*, griech. *ὀρνύ-τω*

125

D. 3.   griech. ὀρνύ-των

P. 3. Ssk. *rṇv-ántu,*   „   ὀρνύ-ντων (med.).

Bemerkung:

Im späteren Ssk. ging die endung der 2. sing. *-hi* verloren: *rṇú.* Im Attischen wurde die form thematisch gebildet:
ὄρνῡ = *ὄρνυε.

Ursprachliche formen.

Sg. 2. *r-n-ŭ-dhí,* stark *r-n-ŭ-tŏt.*

7. Particip.

Ssk. Starker stamm *rṇv-ánt.*

Schwacher „   *rṇv-at* (aus *rṇu-ṇt*) = gr. ὀρνύ-ντ-.

Ursprachliche formen.

Starker stamm *r-n-ŭ-ént,* schwacher stamm *r-n-ŭ-nt.*

8. Infinitiv.

Keine sich deckenden formen überliefert.

Medium.

1. Indikativ praesentis.

Ssk.	Griech.
S. 1. *rṇv-é*	ὄρνῡμαι
2. *rṇu-shé*	ὄρνῡσαι
3. *rṇu-té*	ὄρνῡται
D. 1. *rṇu-váhe*	—
2. *rṇv-á'the*	ὄρνῡσθον
3. *rṇv-á'te*	ὀρνῡσθον
P. 1. *rṇu-máhe*	ὀρνύμεθα
2. *rṇu-dhvé*	ὄρνῡσθε
3. *rṇv-áte* (= *rṇu-ṇté*)	ὄρνῡνται.

131

Ursprachliche formen.

S. 2. *ṛ-n-ŭ-sai*   3. *ṛ-n-ŭ-tai*
D. 1. *ṛ-n-ŭ-védhai*
P. 1. *ṛ-n-ŭ-médhai*   3. *ṛ-n-ŭ-ṇtai.*

2. Conjunktiv praesentis.

Im Griechischen wird der conjunktiv nach der thematischen flexion gebildet:

ὀρνύωμαι, ὀρνύῃ, ὀρνύηται u. s. w.

Ueber eine zweite bildungsweise, nach welcher der auslautende stammvokal *ŭ* gedehnt wird, und für welche die
formen ῥήγνῡται, ῥήγνῡνται, ζώννῡνται (Curtius, Verb II², 82)
überliefert sind, habe ich beim medium von ἵστᾱμι p. 108
gesprochen.

Im Arischen ist derjenige conjunktiv, welcher sich vom
indikative durch ein eingefügtes α = idg. *ŏ* oder *ĕ* unterscheidet, in 2 formen erhalten:

Sg. 2. *ṛṇávase* = ursprachl. *ṛ-né-ŭ-e-sai*
     3. *ṛṇávate* =   „   *ṛ-né-ŭ-e-tai.*

Dagegen sind folgende formen nach der thematischen
flexion gebildet:

S. 1. *ṛṇávâi*   3. *ṛṇávâtâi*
D. 1. *ṛṇávâvahâi*   2. *ṛṇávâithe*
P. 1. *ṛṇávâmahâi.*

3. Indikativ imperfecti.

	Ssk.	Griech.
S. 1.	*á-ṛṇv-i*	ὤρνῡμᾱν
2.	*á-ṛṇu-thás*	ὤρνῠσο
3.	*á-ṛṇu-ta*	ὤρνῠτο
D. 1.	*á-ṛṇu-vahi*	—
2.	*á-ṛṇr-âthâm*	ὤρνῠσϑον
3.	*á-ṛṇr-âtâm*	ὠρνΐσϑᾱν
P. 1.	*á-ṛṇu-mahi*	ὠρνΰμεϑα
2.	*á-ṛṇu-dhvam*	ὤρνῠσϑε
3.	*á-ṛṇr-ata* (= *á-ṛṇr-ṇta*)	ὤρνῠντο.

127

Ursprachliche formen.

S. 2. *é-ṛ-n-ŭ-so*   3. *é-ṛ-n-ŭ-to*
D. 1. *é-ṛ-n-ŭ-vedha*
P. 1. *é-ṛ-n-ŭ-medha*   3. *é-ṛ-n-ŭ-nto.*

4. Conjunktiv imperfecti.

Conjunktive imperfecti, die sich durch fehlen des augmentes vom indikative unterscheiden, sind:

S. 2. Ssk. — griech. ὄρνῠσο
D. 2. „ *ṛṇv-á'thám* „ ὄρνῠσθον
3. „ *ṛṇv-á'tám* „ —
P. 2. „ *ṛṇu-dhrám* „ ὄρνῠσθε.

Von dem mit dem modusvokale *a* vom starken stamme gebildeten conjunktive imperfecti ist im Veda nur eine form erhalten:

ṛ-ṇá-v-a-nta = ursprachl. *ṛ-né-ŭ-o-nto.*

5. Optativ.

Im Ssk. ist der stamm *ṛṇví* = *ṛṇu+i.*

S. 1. *ṛṇv-îy-á,*   D. 2. *ṛṇv-îy-á'thám*
P. 1. *ṛṇv-î-mádhi*   3. *ṛṇv-î-rán.*

Im Griechischen haben sich von dem alten optative zwei reste bei Homer erhalten:

δαινῦτο Ω 665 = *δαινύ-ι-το
δαινύατο σ 248 = *δαινύ-ῑ-ντο.*

Im Attischen nach der thematischen flexion ὀρνυοίμην u. s. w.

Ursprachliche formen.

S. 2. *ṛ-n-ŭ-i-só*   3. *ṛ-n-ŭ-i-tó*
D. 1. *ṛ-n-ŭ-i-védha*
P. 1. *ṛ-n-ŭ-î-médha*   3. *ṛ-n-ŭ-i-ntó.*

128

6. Imperativ.

Echte imperativformen sind:

S. 2. Ssk. *rnu-shvá* griech. —
   3. „ *rnu-tá'm* „ ὀϱνύσϑω
P. 2. „ *rnv-átâm* „ ὀϱνύσϑων.
   (= *rnv-ntá'm*)

Da sich ssk. *rnv-átâm* 3. plur. mit dem aktiv gebrauchten
griech. ὀϱνύντων deckt, so ergiebt sich als

Ursprachliche form.

Pl. 3. *r-n-ŭ-ntō'm.*

7. Particip.

Ssk. *rnvâná,* griech. ὀϱνέμενος.

8. Infinitiv.

Griech. ὀϱνῦσϑαι, ursprachl. *r-n-ŭ-dhyá'i?*

§ 27.

**Der bestand der nasalklassen in der indogermanischen
grundsprache.**

1. Die erste klasse findet sich, wie ich bereits erwähnte, nur im Indischen. Wahrscheinlich sind aber einige
lateinische verba wie *jungo* = ar. *yunájmi* erst nachträglich
in die thematische flexion hinübergezogen, so dass wir folgende praesentia vermutungsweise der ursprachlichen nichtthematischen flexion zuweisen dürfen:

Ssk. *bhinátti, bhindmás,* lat. *findo* „spalten".
  „ *chinátti, chindmás,* „ *scindo* „zerreissen".
  „ *anákti, añjmás,* „ *ungno* „salben".
  „ *yunákti, yuñjmás,* „ *jungo* „verbinden".
  „ *pináshti, pinshmás,* „ *pinso* „zerstampfen".
Vielleicht auch:
  Ssk. *bhunákti, bhuñjmás,* lat. *fungor* „geniessen".

Dieses letzte beispiel ist deshalb unsicher, weil im Ssk.
neben *bhunákti* ein *bhuñjáti* liegt.

2. Die zweite klasse ist nur durch sehr wenige ursprachliche beispiele vertreten.

1) Ssk. *çṛṇā'ti*, gr. κίρνᾱτι „mischen".
Ursprachlich *cṛ-né-ă-ti*, wurzel *cer*.

2) Ssk. *mṛṇā'ti* „zermalmen", gr. μάρνᾱται „kämpfen".
Ursprachlich *mṛ-né-ă-ti, mṛ-n-ă-tai*.

3) Ssk. *linā'ti* „sich anschmiegen", gr. λίνᾱται, erhalten bei
Hesych in λίναμαι · τρέπομαι.
Ursprachlich *li-né-ă-ti, li-n-ă-tai*.

Mehrere verba sind im Arischen nichtthematisch, im Europäischen
dagegen thematisch, z. b.
Ssk. *kshiṇā'ti*, gr. φθίνω „vernichten, schwinden".

Im Indischen zählt diese klasse zwischen 40 und 50 praesentia, im Griechischen gehören die weitaus meisten praesentia
derselben der homerischen sprache an. Es sind: μάρ-νᾰ-μαι,
δύ-νᾰ-μαι, δάμ-νᾰ-μι, πέρ-νᾰ-μι, κίρ-νᾰ-μι, πίλ-νᾰ-μαι, πίτ-
νᾰ-μι und σκίδ-νᾰ-μι, nachhomerisch κρήμ-νᾰ-μι und das besprochene ἴλ-λα-θι, endlich λί-να-μαι.

Mit übertritt in die thematische flexion: δαμνάω, κιρνάω,
πιτνάω, πιλνάω, κρημνάω.

3. Zahlreichere beispiele weist die dritte klasse auf:

1) Ssk. *ṛṇómi* „erreichen, treffen", erhalten in *ṛṇávas* (sg. 2.
conj. impft.), gr. ἄρνῡμαι „erwerben".
Ursprachlich *ṛ-né-ă-ti, ṛ-n-ă-tai*.

2) Ssk. *ṛṇómi, ṛṇóti*, gr. ὄρνῡμι, ὄρνῡτι „erregen".
Ursprachlich *ṛ-né-ă-ti*.

3) Ssk. *inóti*, gr. α-ἴ-νῠ-ται (mit proth. α) „bewältigen".
Ursprachlich *i-né-ă-ti, i-n-ă-tai*.

4) Ssk. *stṛṇóti*, gr. στόρνῡμι, στόρνῡτι (στορ = στṛ) „aus-
breiten".
Ursprachlich *stṛ-né-ă-ti*.

9

5) Ssk. *cinóti*, gr. *ἰνῦται* (mit verstärkter wurzelform) „strafen".

Ursprachlich *k'i-né-ŭ-ti, k'i-n-ŭ-taí*.

6) Ssk. *cinóti* „schichten, sammeln, überschütten" = aeol. *κίνῦμαι* (mit verstärkter wurzelform, *κί = q'i*, ursprachl. *k'i*, nach aeolischen lautgesetzen) „schütteln, zusammenschütten" (*ἔλαιον κινύμενον*), ..sich zusammenschaaren" (*κίννιο φάλαγγες εἰς πόλεμον*).

Ursprachlich *k'i-né-ŭ-ti, k'i-n-ŭ-taí*.

Vielleicht auch

7) Ssk. *jinóshi* R.-V. 438, 1 „beleben, erquicken", gr. *γίνῦμαι*.

Ursprachlich *zi-né-ŭ-ti, zi-n-ŭ-taí*.

Im Indischen unterscheidet man von der *nu*-klasse noch eine sogenannte *n*-klasse, der ungefähr sechs auf ein *n* schliessende wurzeln angehören. Dieses ist im grunde gar keine besondere klasse. Ein praesens wie *tanómi*, wurzel *tan-* (idg. *ten-*), ist nicht in *tan-ó-mi*, sondern in *ta-nó-mi* aufzulösen. *ta* ist die schwache form der wurzel und steht für idg. *tu*.

Drei dieser wurzeln lassen sich der ursprache zuweisen:

8) Ssk. *tanóti*, gr. *τάνῦται* (daneben *τανύω*) „spannen, dehnen".

Ursprachlich *tu-né-ŭ-ti, tu-n-ŭ-taí*.

9) Ssk. *sanóti*, gr. *ἄνῦμι* (daneben *ἄνω*), entstanden aus *ἄνϳω*) „vollenden".

Ursprachlich *su-né-ŭ-ti*.

10) Ssk. *kshanóti*, gr. *κτίννῦμι* (= *κιν-νῦ-μι*) „töten".

Ursprachlich *kju-né-ŭ-ti*.

Die übrigen wurzeln, welche in den einzelsprachen dieser klasse angehören, siehe bei Whitney, Indische gramm. § 708 und bei G. Meyer, Griechische gramm.² § 488--492.

Mehrere der besprochenen praesentia sind in dem letzteren buche unrichtig beurteilt.

§ 28.

Die entstehung der mi- oder nichtthematischen praesentia.

Wenn auch die nichtthematische praesensflexion in den einzelnen typen, welche ich vorgeführt habe, bereits ursprachlich fest ausgebildet war, so kann dieselbe dennoch nicht gleichen alters mit der thematischen flexion sein. Das beweisen am deutlichsten die stämme der reduplicierenden und der nasalklasse, welche nicht einfach, sondern zusammengesetzt sind und auf anderen, nicht praesentischen stammtypen beruhen.

Die meisten der *mi*-praesentia sind vom aoriste oder, um es gleich prägnanter auszudrücken, von verschiedenen aorististämmen aus gebildet. Ausgenommen sind nur die arischen praesentia *dádāmi* und *dádhāmi*, welche aus den perfectis *dadáu* und *dadháu* ihre reduplikation entlehnt haben. Für die *nu*-klasse endlich lässt sich der zu grunde liegende einfache typus zwar nachweisen, aber nicht in seiner bedeutung bestimmen.

Um den sekundären ursprung der *mi*-flexion zu erweisen, führe ich die einzelnen klassen derselben noch einmal und zwar in umgekehrter reihenfolge, wie bisher, vor.

1. Die nasalklassen.

Typus I. *çr-né-ā-mi, çr-n-ā-més.*

Der stamm *çérā, çrā*, auf welchen diese praesensklasse zurückgeht, ist der stamm eines ursprachlichen thematischen *a*-aoristes.

Dieser *a*-aorist ist sowohl im Arischen wie im Europäischen erhalten. Die zahlreichen griechischen belege hat Fick, Gött. gelehr. anz. 1880, p. 1430 sq. zusammengestellt.

Die eigentümlichkeiten dieses *a*-aoristes sind folgende:

a) Für die ursprache ist er nur in der 2. und 3. ps. sing. des aktivs zu belegen. Die sich deckenden formen sind ssk. *á'sis* = gr. *ἔας* = lat. *eras*, ssk. *á'sit* = lat. *erat*. Von 30 anderen wurzeln ist im Rig-Veda die zweite person 47 mal, die dritte 60 mal überliefert. Dagegen lässt sich die 1. sg. nur mit 2 formen belegen: *akramim* 1 mal, *vádhīm* 2 mal.

9*

Für den plural vollends bietet der Rig-Veda uur die beiden beispiele *átārima* 633, 21 und *avitá* 575, 6.

Im Griechischen lebt die 3. sg. des aktivs noch iu der älteren sprache und vereinzelt in den dialekten. Aus Homer sind zu uennen ἐγήρᾱ, ἀπείρᾱ = ἀπ-έ-ϝρᾱ, οὖτᾰ. Lakonisch war ἀπεσσύα = ἐξέλιπε in der bekannten botschaft des Hippocrates an die Ephoren iu Sparta. Auf einer inschrift aus Epidaurus lesen wir ἐξερρύᾱ, vgl. Bechtel, Nachr. d. kgl. gesellsch. d. wiss. zu Göttingen, 1888, p. 399. Hesych überliefert ἐφθία . ἀπέθανεν. Nur eine einzige 3. ps. sing. hat sich als gemeingriechisch behauptet: ἔτλᾱ, ion. ἔτλη.

Dagegen ist die 2. sing. lebendig geblieben: εἶπας, ἔχεϝας, ἤνεικας, ἔκιϳας. Die ersten und dritten personen εἶπα und εἶπε, ἔχεϝα und ἔχεϝε, welche man in der regel mit εἶπας, ἔχεϝας zu verbinden pflegt, haben ihrem ursprunge nach nichts mit diesen zweiten personen zu thun. εἶπα und ἔχεϝα stehen für ϝέϝιπ-ṃ, ἔ-χεϝ-ṃ und sind nichtthematisch gebildet, εἶπε dagegen gehört zum thematischen o-aoriste εἶπον und ἔχεϝε ist eigentlich eine imperfektform.

b) Der auslautende vokal scheint in der 2. und 3. ps. sing. ursprachlich laug gewesen zu sein. Im Sanskrit erscheint er stets als *î*. Von den homerischen formen ist für ἀπείρᾱ δ 646 und κατηγήρᾱ ι 510 die länge durch das metrum gesichert, lang sind ferner ἔπτά und ἔτλᾱ. Eine ausnahme bildet οὖτᾰ. Die länge der 2. sg. *εἶπᾱς, *ἔχεϝᾱς scheint unter dem einflusse der 1. sg. εἶπα, ἔχεϝα verkürzt zu sein.

Im plural: εἶπᾰμεν, ἐχέϝᾰμεν und im medium, welches nur im Griechischen zu belegen ist: ἔ-πτᾰ-το, σεῖᾰ-το, ἐ-πρίᾰ-το, ἀρπά-μενος. war die kürze regelrecht gefordert.

c) Der stammvokal scheint bereits ursprachlich bald hochbetont, bald tieftonig gewesen zu sein.

Im Rig-Veda erscheint in 27 aoristen die hochbetoute, bisweilen noch gedehnte wurzelform. Ich zähle dieselben in dritter person ohne augment auf: *ávit, áçit, ókshît, káʹrît, krámît, gáʹrît, grábhît, cáʹrît, táʹrît, dáʹsît, bárhît, mándît, márdhît, móshît, yáʹrît, yáʹsît, yódhît, ráudhît, ráʹvît, rádhît, várhît, várshît, réçît, cámsît, sáʹvît, sphárît, sráʹnît*.

In 3 fällen ist der aorist rom schwachen stamme gebildet: *jā'rvit* 202, 10 (praes. *jā'rvati*), *hiṁsit* 947, 9. 991, 3 (praes. *hiṁsati*) und *mathis* 127, 11, *māthit* 71, 4. 148, 1 = *mṇthis*, *mṇthit*. Freilich könnte man die letzteren beiden formen auch als idg. *méthās*, *méthāt* deuten, da der nasal des stammes *manth* in *mánthati* ursprünglich nur ein praesens-verstärkendes element war, vgl. pag. 58. Indessen scheint er im Arischen bereits früh mit dem verbalstamme verwachsen zu sein, vgl. den vedischen aorist *ámanthishṭām* 3. dual. 257, 2.

Im Griechischen ist das zahlenverhältnis der beiden klassen ungefähr gleich. Mit starker stammesform sind über-liefert :

ἔϰηϝας, ἔϰηας zu *ϰήϝω.

ἔχεϝας, ἔχεας zu χέϝω.

Ferner die homerischen aoriste

ἐνείϰαμεν ω 43, ἤνειϰαν δ 784, ἐνείϰατε θ 393, ἠνείϰαντο Ι 127.

ἐγήρᾱ Η 148, Ρ 197, ξ 67, γιρᾱ́ς part. Ρ 197, ϰατεγήρα ι 510 mit gedehntem wurzelvokale zu γέρω „ich altere", γέρων „greis".

σεῖαν ζ 89, ἐσσείαντο Λ 548, Ο 272, σείατο Ζ 505, Η 208, Ξ 227, ε 51 zu aeol. σείω = gemeingr. σέϝω.

δέατο ζ 242 für *δέιατο zu *δέιω „scheinen".

διέχευαν „sie zerhieben" Η 316, γ 456, ξ 427, τ 421.

Vom schwachen stamme sind gebildet:

ἀπ-έ-ϝρᾱ zu ϝέρα, homer. ἀπό-ϝερ-σε.

ἔτλᾱ zu τελα- in τέλα-σσα.

ἀπο-ϰλᾱ́ς von ἔϰλᾱ zu ϰελα-.

ἔπτᾱ, ἔπτᾱιο zu πέτα- in πέτα-μαι.

ἐξερρύᾱ, Epidaurus, zu ῥέϝα-.

ἀπε-σσούᾱ, lacon., παρε-σσίᾱ. παρώρμησα Hesych, zu σέϝα-.

εἶπας Α 106, 108, γ 227, π 243, χ 46, εἴπατε γ 427, φ 198. Auch aus Creta überliefert. Entstanden aus ϝέ-ϝιπα-ς = ϝέ-ϝϝπα-ς.

ἐπρίατο, πριάμενος.

οὔτᾱ, οὐτάμεναι, οὐτάμενος, Homer.

ἀρπάμενος, ἀρπᾱ : ἀρπᾱ zu ἀρεπα-, mit σ erweitert ἀρεψα-, in ἀν-αρέψαντο α 241, ξ 371.

ἤϊθατο· ἐπεϰαίετο, ἐμελαίνετο Hesych.

Der stamm dieses thematischen *a*-aoristes wurde in den einzelsprachen vielfach direkt ohne erweiterungen einem neuen praesens zu grunde gelegt, das nun nichtthematisch durchflektiert wurde. Die frage, ob derartige praesentia bereits der ursprache angehörten, muss leider unentschieden bleiben, da sich kein einziges nachweisen lässt, welches dem Arischen und dem Griechischen gemeinsam gewesen wäre.

Im Sanskrit gehören hierher diejenigen praesentia der nichtthematischen *ad*-klasse, welche, wie unsere grammatiken sich ausdrücken, ein *î, i* (= idg. *ā, ă*) zwischen stamm und endung einschieben. Die imperfecta dieser praesentia sind also eigentlich aoriste und von ihnen aus ist erst ein indikativ praesentis gebildet.

Von formen des Rig-Veda nenne ich:

brávi-mi, brari-shi, brávi-ti, bravi-tana, brari-tu von dem häufig belegten aoriste *ábrari-t*.

ami-shi 912, 8 vom aoriste **ā'mit.*

tavi-ti 885, 1 vom aoriste **átarit.*

Mit kurzem *i*:

án-iti 951, 4 vom aoriste *á'nit* 955, 2; 858, 8.

çvási-ti 65, 9 vom aoriste **áçvasit.*

çnathi-hi 63, 5; 541, 2 vom aoriste **áçnathit.*

stani-hi 488, 30 vom aoriste *astánit* A.-V. 5, 20, 2.

In den überlieferten medialen formen erscheint kurzes *i*: *í'çi-she* 20 mal (neben *í'kshe* 2 mal), *í'di-shra* 4 mal, *jáni-shra* 456, 18 und *vási-shra* 26, 3. Die letzteren formen lassen sich freilich ebensowohl als imperative eines aoristes auffassen.

Im Griechischen sind nur vereinzelte aktive formen nichtthematischer praesentia nachzuweisen, welche auf den stamm des *a*-aoristes zurückgehen. Es sind:

homer. *ἔāσι* = *ἔāντι* „sie sind" zum aoriste *ἔαν, ᾖαν.*

gemeingr. *ἴāσι* = *ἴāντι* „sie gehen" zum aoriste *ᾔαν.*

Ebenso gehören hierher die formen:

att. *τιϑέāσι* = **τιϑέāντι.*

att. *διδόāσι* = boeot. *διδόανϑι* für *διδόāντι.*

Die ihnen zu grunde liegenden aoriste *ἔϑαν* und *ἔδοαν* sind zwar nicht einfache *a*-aoriste, sondern *ra*-aoriste: *ἔ-ϑε-*

ϝαν, ἔ-δο-ϝαν (vgl. cypr. δο-ϝέ-ναι), doch ist dieses für die beurteilung der von ihnen abgeleiteten praesentia gleich.

Zahlreicher sind die auf dem α-aoriste beruhenden media. Interessant ist es zu beobachten, wie die ältere sprache oft nur das imperfectum oder, besser gesagt, den alten aorist kennt, zu welchem erst in jüngerer zeit ein indikativ praesentis gebildet wurde:

ἄγα-μαι „hoch halten, schätzen", die 1. ps. sg. praes. schon bei Homer ζ 168, ψ 175. ἀγα- kurzform zu μέγα.

ἔρα-μαι „begehren". Der indikativ praesentis schon bei Homer: ἔραμαι Γ 446, Ξ 328, ἔραται Ι 64. Den aorist, von welchem ἔραμαι ausgegangen ist, lesen wir im hymnus auf die Demeter 129: ἤρᾶτο.

πέτα-μαι „fliegen" seit Pindar. ῖ-πτα-μαι erst seit Aristoteles gebräuchlich. Homer kennt nur den aorist ἔπτατο.

Ein praesens δέα-μαι „scheinen" ergiebt sich aus dem auf der tegeatischen bauurkunde überlieferten conjunktive δέᾱτοι und der glosse Hesychs δέαται · δοκεῖ. Im Homer ist nur einmal der aorist δέατο ζ 242 überliefert.

Von κρέμᾰ-μαι „hangen" findet sich bei Homer nur die 2. sg. aoristi: ἐκρέμω Ο 18, 21 (besser ἐκρέμᾶ᾿ = ἐκρέμαο zu lesen). Der indikativ praesentis ἐπικρέμαται im hymnus auf den pythischen Apollo 106 und bei Pindar, Isthm. VII, 14.

Von ἐπίστα-μαι „verstehen" ist der indikativ praesentis durch 3 formen vertreten: ἐπίσταμαι ν 207, ἐπιστά-μεθα Ν 223, ἐπίστᾱται Π 243. Häufig sind die aoristformen ἐπίστατο und ἐπιστάμενος.

Endlich nenne ich noch 2 singuläre formen κέα-ται · κεῖται. Hesych, vgl. Theocr. Idyll. 29, 3. ἔρχα-ο · ἔρχον, πορεύου. Hesych.

Während also diese praesentia vom einfachen stamme des α-aoristes sich wahrscheinlich erst in den einzelsprachen entwickelt haben, fällt die erweiterung des aoriststammes durch ein nasalinfix bereits in die ursprachliche periode.

Für die meisten griechischen mit -νᾱ gebildeten nicht-thematischen praesentia lässt sich der aoristtypus ϛέρα, ϛρα als quelle nachweisen. Freilich kenne ich nur ein beispiel, in welchem dieser Typus noch als alter *a*-aorist neben einem *va*-praesens lebendig ist:

κρήμνᾱμι : hom. *ἐκρέμαο* O 18, 21.

In den übrigen fällen ist der typus teils im sigmatischen aoriste teils in abgeleiteten praesentibus erhalten, z. b.

κίρνᾱμι = *κρ-νέ-ᾱμι* : *κερά-ω, κερά-σσαι.*

κίδνᾰται = *κδ-ν-ᾰ-ται* : *κεδά-ομαι, κεδά-σσαι.*

δάμναμι = *δαμ-νέ-ᾰ-μι* : *δαμά-ω, δαμά-σσαι.*

Aus dem Rig-Veda ist für 4 der mit *nâ, ni* gebildeten praesentia der zugehörige aorist zu belegen:

mathnā́mi : mathnimás (belegt sind: *ámathnāt* 3. sg. impf. 93, 6. *mathnita* 3. sg. impf. med. A.-V. 5, 8, 4) zum aoriste *máthis* 127, 11, *máthit* 71, 4. 148, 1.

açnā́mi : açnimás (häufig belegt) zum aoriste *áçit* 913, 17.

grbhṇā́mi : grbhṇimás (häufig belegt) zum aoriste *ágrabhit* 145, 2.

mushṇā́mi : mushṇimás (belegt sind die imperfektformen *ámushṇās* 131, 4, *ámushṇāt* 485, 22; 893, 6, *ámushṇitam* 93, 4) zum aoriste *moshis* 24, 11; 104, 8.

Da in diesen praesentibus der hochton entweder auf dem nasal-infixe (*çr-né-ă-mi*) oder auf der endung (*çr-n-ă-més*) lag, so musste ursprachlich der stammvokal stets in seiner schwächsten gestalt erscheinen, resp. ganz ausfallen. Von den beiden aoristtypen *çéra* und *çra* war also der letztere der für das nasal-praesens geforderte.

Schematisch lässt sich also die praesensbildung vom *a*-aoriste so darstellen:

Ausgangspunkt aorist *çéra, çra.*
Davon abgeleitet

ohne erweiterung	mit nasalinfix
céra-ti	*çr-né-ă-ti, çr-n-ă-més.*

Typus II: *str-né-ă-mi, str-n-ă-més.*

Diese klasse ist ihrem ursprunge nach vorläufig noch dunkel. Der typus *stru*, hochbetont *stéru*, den wir nach analogie der vorigen klasse als aoriststamm ansetzen müssten, lässt sich als solcher nicht nachweisen. Es gab zwar bereits in der ursprache einen *cau*-aorist; dieser wurde aber nur von langvokaligen wurzeln gebildet und endigte nicht auf -*u*, sondern auf -*va*, so dass er eher als ein thematischer *a*-aorist zu betrachten ist, vgl. z. b.

do-va, erhalten in kypr. *δo-ϝέ-ναι*, arcad. *ἀπυ-δό-ας*, ssk. *dâ-vá-ne*, gebildet von *dô*.

Dass indessen der häufig belegte verbaltypus *stéru*, *stru*, auf welchen der erweiterte praesensstamm *stṛ-né-u*, *stṛ-n-u* zurückgeht, seiner bedeutung nach eng mit dem im vorigen besprochenen aoristtypus *çéra*, *çra* verwandt gewesen sein muss, lässt sich beweisen.

Wie wir sahen, wurde der einfache aoriststamm *çéra*, *çra* häufig ohne erweiterung einem neuen praesens zu grunde gelegt. Dasselbe schicksal erfuhr, vielleicht bereits in der ursprache, der typus *stéru*, *stru*.

Im Rig-Veda ist ein einziges mal die form *taru-te* 902,2 neben dem gewöhnlichen *tárati* überliefert. Derselbe stamm *taru-* erscheint in verbalen ableitungen: *taru-tár* „der überwinder", *táru-tra* „siegreich" u. a. m. Nun lässt sich zwar im Griechischen kein praesens *τέρυ-μαι nachweisen, dafür aber das ganz analog gebildete *ϝέρυ-μαι : ϝέρυσϑαι* ι 194, *ϝέρυσο* X 507, *ϝέρυτο* Λ 138 u. ö., *ϝερύατο* Λ 248, *ϝερύμεναι* N 682 und andere formen mehr. Dieser griechische stamm *ϝερυ-* liegt den vedischen verbalsubstantiven *varû-tár* „der schützer", fem. *varu-trî*, *várû-tha* „schutz" u. a. zu grunde, welche genau den eben erwähnten nominibus *taru-tár*, *taru-trá* entsprechen. Wir dürfen daraus wohl schliessen, dass auch ein dem *táru-te* gleichstehendes *váru-te* = gr. *ϝέρυ-ται* der sprache des Rig-Veda nicht fremd gewesen ist.

Im Griechischen lassen sich andere praesensstämme auf -*v* nicht nachweisen, wohl aber im Arischen.

Das praesens *karo-mi* tritt zwar erst im klassischen Sanskrit auf. Doch weist der vedische ohne endung gebildete imperativ *kuru* 971, 2; 845, 2 darauf hin, dass die ältere sprache ein praesens vom schwachen stamme *kuró-mi* (=

*kṛá-mi) besessen hat. Hieraus ist *karomi* vielleicht unter anlehnung an *káruti* gebildet.

Im Zend ist einmal die 1. plur. *á-debao-mâ* „wir täuschten" y. 30, 6 überliefert = urar. *â-ďbhâu-ma, ssk. * *â-dbho-ma*. Der gleiche stamm *dbhu* liegt in dem vedischen *á-dbhu-ta* „untrüglich, lauter, rein". *dbhu*, hochbetont *dábhu*, gehört zu ssk. *dabh*, zd. *dab* „täuschen, betrügen".

Endlich erwähne ich das avestische praesens *mrao-mi* „sprechen, nennen". Der ihm zu grunde liegende stamm *mru, máru* ist identisch mit *mára*- in *maraiti* „nennen, recitieren", vgl. *maremna* yt. 5, 86, y. 54, 21 „der recitierende priester", *mairê* yt. 1, 29 „ich nenne", *maraêta* vd. 4, 122 „er möge hersagen".

Für eine anzahl der im Rig-Veda überlieferten *nu*-praesentia lässt sich der typus *stéru* als quelle nachweisen:

kṛṇámi : kṛṇumás, vgl. den hochtonigen typus *káru*- in *karú-ṇa* 100, 7 „die handlung" (neben *kára-ṇa*), den tieftonigen *kuru* im imperative *kuru*.

dabhnómi : dabhnumás (überliefert ist *dabhnuvanti* 55, 7), vgl. den schwachen typus *dbhu* in *á-dbhu-ta*, zd. *â-debao-mâ*.

ṛṇómi : vṛṇumás, vgl. den starken typus *váru*- in *varú-tár, várû-tha*.

dáçnómi : dáçnumás (überliefert ist *daçnóti* 624, 6), vgl. den starken typus *dáçu*- in *á-dáçu* 174, 6 „den göttern nicht huldigend", *dáçu-ri* 624, 12 „den göttern huldigend, fromm".

Bisweilen ist der betreffende typus nur aus anderen sprachen zu belegen. Als beispiel nenne ich vedisch *dhṛshṇu-hí* 80, 3 „sei kühn", dessen grundtypus *dhṛshu*- in gr. ϑαρσύ-ς = ϑϱσύ-ς erhalten ist.

Schematisch lassen sich die vom typus *stéru, stru* ausgegangenen praesentia so darstellen:

Ausgangspunkt typus *stéru, stru* unbekannter bedeutung.

Davon abgeleitet

ohne erweiterung	mit nasalinfix
stéru-ti	*stṛ-né-u-ti*, *stṛ-n-u-més*.

Typus III: *li-né-k-mi, li-n-k-més.*

Bei dieser klasse befinden wir uns wieder auf festem boden. Sie ist ausgegangen von dem sogenannten starken aoriste. Das eigentümliche desselben besteht darin, dass der zweisilbige thematische typus, wahrscheinlich durch wirkung des expiratorischen accentes, den thematischen vokal ganz aufgiebt und den stammvokal dehnt. Derartige aoriste sind uns im Rig-Veda mehrere überliefert:

áráik „er liess" (5 mal), plur. *riktam* 1027, 3 zu *ri-ná-c-mi.*

bhéd „er zerschlug" (4 mal) zu *bhi-ná-d-mi.*

aprák mit *ápi* „er mischte bei" A.-V. 10, 4, 26 zu *pr-ná-c-mi.*

áyoji, yoji, 3. sg. med. „er bespannte" (4 mal) zu *yu-ná-j-mi.*

áchedi 116, 15, *chedi* 219, 5, 3. sg. med. in passiver bedeutung „er wurde abgeschnitten, zerrissen", plur. unregelmässig vom starken stamme *chedma* 109, 3 zu *chi-ná-d-mi.*

Dieser nichtthematische aoriststamm, der im singular den vollen und noch dazu gedehnten, im plural den schwachen stammvokal zeigte, wurde nun — ebenso wie die typen *çéra, çra* und *stéru, stru* — in doppelter weise zur bildung eines neuen praesens verwendet. Die einfachste art war die, dass man ihn ohne zusätze, also nur durch anfügung der primären endungen, zum praesensstamme umstempelte: so entstand die wurzelklasse, auf welche ich nachher zu sprechen komme. Zweitens aber erweiterte man ihn durch einen nasal. Da in diesem falle der accent entweder auf dem nasalinfixe oder auf der endung ruhte, so musste der wurzelvokal stets in schwächster gestalt erscheinen.

Schema:

Ausgangspunkt aorist *léik, lik-mé.*

Davon abgeleitet

ohne erweiterung   mit nasalinfix

léik-mi, lik-més   *li-né-k-mi, li-n-k-més.*

———

2. Die reduplicierende klasse.

Sämmtliche reduplicirenden wurzeln der ursprache endigten, wie wir gesehen haben, auf einen langen vokal: *dō, dhē, sthā, gā.*

Diese wurzeln, zu denen die entsprechenden kurzformen *dŏ, dhĕ, sthă* und *gŏ* lauteten, waren ursprünglich stämme eines starken nichtthematischen aoristes. Dieser lässt sich für alle vier sowohl im Sanskrit wie im Griechischen nachweisen:

Ssk. *á-dā-m* = Griech. *$^*\breve{\varepsilon}$-δω-ν, $\breve{\varepsilon}$-δο-μεν.*
„ *á-dhā-m* = „ *$^*\breve{\varepsilon}$-θη-ν, $\breve{\varepsilon}$-θε-μεν.*
„ *á-gā-m* = „ *$\breve{\varepsilon}$-βā-ν.*
„ *á-sthā-m* = „ *$\breve{\varepsilon}$-στā-ν.*

Wie bei den nasalklassen der aoriststamm rein, ohne zusätze als praesensstamm verwendet werden konnte, so auch bei den langvokaligen wurzeln. Besonders deutlich zeigen das folgende praesentia des Rig-Veda:

dhā'ti (3 mal) „er setzt" vom aoriste *á-dhā-t.*
dā'ti (5 mal) „er giebt" vom aoriste *á-dā-t.*
pā'nti 202, 14 „sie trinken" vom aoriste *á-pā-t.*

Zu *vā'ti* „er weht" = griech. *ā-ʄη-τι* und *bhā'ti* „er strahlt" = griech. *φā-τί*, ion. *φησί* sind die zugehörigen aoriste zwar nicht im Rig-Veda, dafür aber im Griechischen erhalten: *ā-ʄη* in *δι-ά-ʄη* ε 478, τ 440 und *$\breve{\varepsilon}$-φā*, ion. *$\breve{\varepsilon}$φη.*

Ferner ist der ganze indikativ praesentis des lateinischen *dō* von der kurzform des ursprachlichen aoriststammes gebildet. Die formen *dās, dat, damus, dātis, dant, dātō* entsprechen in ihrem vokale genau den griechischen aoristformen *δός, δόμεν, δότε, δότω.*

Die zweite weise, den aoriststamm in einen praesensstamm umzugestalten, bestand darin, dass man ihm eine reduplikationssilbe vorschlug. Am deutlichsten ist diese art der bildung noch im Griechischen zu erkennen:

Aorist	Praesens
$\breve{\varepsilon}$-στā-ν, ion. *$\breve{\varepsilon}$-στη-ν*	*ΐ-στā-μι*, ion. *ΐ-στη-μι*
$\breve{\varepsilon}$-στā-ς, ion. *$\breve{\varepsilon}$-στη-ς*	*ΐ-στα-ς*, ion. *ΐ-στη-ς*
$\breve{\varepsilon}$-στā, ion. *$\breve{\varepsilon}$-στη*	*ΐ-στā-τι*, ion. *ΐ-στη-σι*

Aorist	Praesens
ἔ-δο-μεν	δί-δο-μεν
ἔ-δο-τε	δί-δο-τε
ἔ-στᾰ-ν	ἴ-στᾰ-ντι, ἴ-στα-σι.

Besonders wird so die 2. ps. sing. mit ihrer sekundären endung verständlich.

Im Sanskrit ist in den wurzeln *dâ* und *dhâ* die praesens-reduplikation *di* und *dhi* durch die perfektreduplikation *da* und *dha* ersetzt. Man wird deshalb nicht gerade zur annahme gezwungen sein, dass *dádâmi* und *dádhâmi* von den perfektis *dadấu*, *dadhấu* abgeleitet seien. Vielmehr kann auch hier der aoriststamm die basis der reduplicierten praesentia bilden und nur die reduplikationssilbe im anschluss an das perfectum gewählt sein.

Ein zweiter umstand, durch welchen im Sanskrit der enge zusammenhang zwischen aorist- und praesensformen zerstört wurde, besteht darin, dass die starke stammesform im aoriste aus den singularpersonen auch in den dual und plural eindrang: *ádâva*, *ádâtam*, *ádâtâm*, *ádâta* (vgl. auch gr. ἔστᾰμεν). In folge dessen decken sich, was den stamm anbetrifft, hier nur die drei personen des singulars:

Aorist:	á-dâ-m	á-dâ-s	á-dâ-t
Praesens:	dá-dâ-mi	dá-dâ-si	dá-dâ-ti.

Schema:

Ausgangspunkt aorist *dŏ́-t*, *dŏ-mé*.

Davon abgeleitet

ohne erweiterung	mit reduplikation
dŏ́-ti, *dŏ-més*	*di-dŏ́-ti*, *di-dŏ-més*.

Anmerkung. Die griechischen formen *δίδωτι*, *τίθητι* sind pag. 134 erklärt.

3. Die wurzelklasse.

Für fast alle stämme der wurzelklasse lässt sich, soweit sie auf einen consonanten auslauten, eine ursprachliche thematische praesensbildung nachweisen:

éso „sein": ved. conj. *asâma*, griechisch ἔον (Homer), ἔωμεν ἔοιμεν, got. *sai*, *siai*, lit. *esù*, altbulg. *sy* = *son(t)s*.

ἐjo „gehen": ved. *ayate, ayante, ayata* 3. sg. med., *ayáma*,
latein. *eo* = *eiö, eunt* = *eionti*.

édo „essen": ssk. *á'das, á'dat* (R.-V.). Homer *ἔδει, ἔδουσι,*
ἔδωμεν, ἔδωσι, ἔδοι, ἔδον, ἔδοντες u. a. Latein. *edo*, got.
itan. Das litauische *ädu* ist erst nach *ädmi* gebildet.

réco „wünschen": ved. *váçanti* (neben *uçánti*), impft. *ávaçat,*
griech. *ϝεκών,* fem. *ϝεκόντια* = att. *ἑκοῦσα* (daneben
ϝέκ-ντια = *ϝέκασσα.*

bhéro „tragen": ssk. *bhárámi,* griech. *φέρω,* latein. *fero,*
got. *baíra.*

zéno „erzeugen": ved. *jánámi, ájanas, ájanat, ájanan, ája-*
nanta = gr. *ἐγένοντο.*

Für andere praesentia der wurzelklasse lassen sich thematische formen wenigstens aus dem Arischen belegen:
Neben *á'ste* „er sitzt" = gr. *ἧσται* liegen im Sanskrit
die thematischen formen *á'sati, á'sate.*

Neben *kshéti* „er wohnt" (gr. *κτί-μενος*) liegt im Rig-
Veda das thematische *ksháyati, ksháyathas.*

Von der wurzel idg. *cei* „liegen" findet sich, wie wir
sahen, im Rig-Veda nur die einzige nichtthematische form
çíshe. Alle übrigen sind thematisch gebildet *çáyate, çáyante,*
áçayat u. a.

Neben dem gewöhnlichen *réti* „er unternimmt" sind im
Rig-Veda zwei thematische formen überliefert *rayati* 641, 10,
ráyat 854, 9.

Endlich stehen den vedischen formen *stoshi, stumási, stushe*
die thematisch gebildeten *stávase, stávate, stávante* gegenüber.

Die thematische flexion war in allen den aufgeführten
beispielen die ursprüngliche. Die nichtthematische flexion ist
erst ausgegangen von einem starken nichtthematischen aoriste,
der ursprachlich zu dem thematischen praesens gehörte, vgl.
pag. 139. Dieser aorist lässt sich für die meisten der sogenannten wurzelpraesentia als ausgangspunkt nachweisen.

1) Die consonantisch auslautenden wurzeln.

Zu dem thematischen *éseti* „er ist" lautete der starke
aorist mit dehnung des wurzelvokales *ēs-t* „er war". Er ist
erhalten in ved. *ás* = zd. *áç* = griech. *ἦς.* Diese form

wurde später natürlich als imperfectum zu dem erst von *ēs*
aus gebildeten *ĕs-mi* aufgefasst.

Wurde dieser aoriststamm *ēs* durch anfügung der endungen
-mi, -si, -ti (von denen die erstere erst nach *-si* und *-ti* neu
gebildet wurde) zu einer zweisilbigen form erweitert, so verlor
er in der regel seine dehnung: *ĕs-mi, ĕs-si, ĕs-ti*.

Er konnte aber auch diese dehnung bewahren. Dann
unterschieden sich die neuen praesensformen von den alten
aoristformen nur durch die primären endungen. So entstand
das slavolettische *ēd-mi* neben dem indischen *ád-mi* von einem
ursprachlichen nicht mehr nachzuweisenden aoriste *ēd-t*.
Wenn ich also in dem auf pag. 85 gegebenen paradigma
den stamm *ēd* für den singular, den stamm *ĕd* für den plural
und dual bestimmt habe, so habe ich damit nicht etwa an-
deuten wollen, dass diese abstufung eine lautgesetzlich geforderte war. Vielmehr haben wahrscheinlich bereits ursprachlich im singular *ēdmi* und *ĕdmi* neben einander gelegen.
Im plural und dual freilich wird wohl die kurze stammesform
allgemein gewesen sein.

Der zusammenhang zwischen *ē'stai* „er sitzt" und *ésti* „er
ist" wird klar, sobald wir beide formen auf einen aorist
ēs-t, med. *ēs-to* zurückführen. Da das einsilbige *ēs* durch
anfügung der endung *-ti* zu einer zweisilbigen form wurde, so
trat verkürzung des stammvokales ein: *ĕs-ti*. Dagegen unterschied sich das von *ēsto* gebildete praesentische *ēstai* von der
aoristform nur durch die primäre endung, hier lag also kein
grund vor, die aoristische dehnung aufzuheben.

Der aorist zu *bhéreti* „er trägt" lautete ursprachlich
ébhēr, erhalten in ved. 3. sg. *abhār* 846, 10, *bhā'r* 128, 2.
Davon abgeleitet ved. *bhár-ti* = latein. *fer-t*, idg. *bhér-ti*.

Zu *rése-tai* „er kleidet sich" lautete der aorist ursprachlich (ohne dehnung) *rés-to*, erhalten in ved. *rásta* = griech.
ἕστο. Von diesem aus wurde erst das praesentische *rés-tai*,
ved. *raste* = hom. *ἕσται*, gebildet.

Ein praesens *gén-tai* „er entsteht", welches ich auf p. 91
angesetzt habe und damals ansetzen musste, hat es wahrscheinlich gar nicht gegeben. Denn die beiden einzigen nichtthematischen formen der wurzel *gen* sind aoriste: gr. *γέντο*,
ved. *ajanata* = *ajan-ata*.

Es bleiben also nur noch die beiden wurzeln *rec-* und *jas-* übrig, für welche ich keinen aorist nachzuweisen vermag.

Dagegen lässt sich für manche speciell dem Arischen oder Slavolettischen eigentümliche wurzelpraesentia der starke aorist aus dem Rig-Veda anführen z. b. Lit. *lĕk-mi*, *lĕk-t*, dazu ved. aor. sg. 3. *áráik*. Ved. *chánt-si* „du erscheinst", dazu ved. aor. sg. 3. *áchán*.

Dass dieser nichtthematische aorist nicht etwa erst — was man vermuten könnte — von einem nichtthematischen praesens gebildet ist, sondern ursprünglich zu einem thematischen praesens gehörte, beweist der umstand, dass er von vielen wurzeln im Rig-Veda belegt ist, welche ausschliesslich thematisch flektieren, z. h.

Ved. *kráudati*,	Aorist. 3. sg.	*ákrān*
„ *kshúrati*,	„ „	*ákshár*
„ *tsárauti*,	„ „	*átsár*
„ *dáhati*,	„ „	*ádhák*
„ *syándate*,	„ „	*ásyán*
„ *sṛjáti* (*tud*-kl.),	„ „	*ásrák*
„ *srárati*,	„ „	*ásvár* u. a. m.

2) Die auf diphthonge auslautenden wurzeln.

Das zweite element des diphthongen — *i* oder *u* — war ursprünglich klingendes jot oder vau (*i̯, u̯*) und bildete den zweiten radikal des thematischen praesens.

Zu dem thematischen *éi̯e-ti* „er geht" ist der starke aorist in ssk. *ái-t* erhalten. Davon abgeleitet ssk. *é-mi* = urar. *ai-mi*, griech. *εῖ-μι*.

Der aorist zu *réi̯e-ti* „er verlangt" ist im Rig-Veda in der 2. sg. *ré-s* (häufig) erhalten, davon abgeleitet ssk. *ré-mi* = urar. *rai-mi* „ich will". Das lateinische *vis* habe ich p. 93 mit *ré-shi* gleichgesetzt. Indessen kann es auch der alten aoristform ssk. *ré-s* entsprechen. Dann würde ein praesens *réi-mi* für die ursprache gar nicht zu belegen sein.

Zu dem thematischen *stéu̯e-tai* = ved. *stárate* endlich lautet der starke aorist im Rig-Veda *á-stáu-t*, *stáu-t* = idg. *é-stēu-t*, *stēu-t*. Davon abgeleitet ved. *stó-ti* = griech. στεῦ-ται.

Für die praesentia *kjéịe-ti* und *céịe-tai* (nichtthematisch *kjéi-ti*, *céi-tai*) sind die aoriste *kjēi-t, *cēi-to = ssk. *kshāit, *çāita aus dem Rig-Veda nicht zu belegen.

3) Die auf lange vokale auslautenden wurzeln.

Wie das praesens dieser wurzeln ursprünglich ausgesehen hat, darüber sind wir ebenso im unklaren, wie über das praesens derjenigen langvokaligen wurzeln, welche reduplikation annehmen. Wir wissen nur, dass der einfache langvokalige stamm mit der entsprechenden kurzform ursprachlich ein aoriststamm war und dass von diesem aoriststamme erst das praesens gebildet wurde. Wahrscheinlich hat es anfänglich gar kein praesens, sondern nur die aoriste *dōt*, *dhēt*, *pōt* u. s. w. gegeben.

Die letztere vermutung lässt sich auf das vedische *khya-m* = lat. *in-qua-m* stützen. Die wurzel *khyā* „scheinen" ist im Rig-Veda überhaupt nur im aoriste zu belegen, ein praesens *khyá-ti fehlt ganz.

Die wurzeln ssk. *bhā* = griech. *φᾱ* und ssk. *vā* = griech. *ϝη* sind im Rig-Veda nur im praesens erhalten. Wenigstens lassen sich die imperative *bhāhi*, *vāhi*, *vātu* und das participium fem. *bhātī* ebensowohl auf das praesens wie auf den aorist beziehen. Die aoriste, von welchen *bhā-mi* und *vē-mi* abgeleitet sind, hat das Griechische bewahrt: *ἔ-φᾱ* „er sprach" und *ἄ-ϝη* „er wehte", vgl. pag. 140.

Der aorist zu idg. *pō-mi* „ich trinke" ist aus dem Veda vielfach zu belegen: *á-pām*, *á-pā-s*, *á-pā-t* u. s. w. Wie ich bereits p. 92 ausführte, kann das griechische *πῶϑι* auch eine aoristform sein. Dann würde ein praesens *pō-mi* der ursprache nicht zukommen.

Ueber den aorist *é-dō-m*, von welchem ved. *dá-ti*, lat. *da-t* abgeleitet sind, habe ich p. 140 sq. gesprochen.

So bleibt denn nur das praesens *snā-mi* übrig, für welches — offenbar nur durch zufall — der zu grunde liegende aorist nicht nachzuweisen ist.

10

Berichtigung.

S. 30, absatz 3 gegen ende lies: „Im plural ist *ñtá* als sekundäre endung auf den keilinschriften belegt in *abarañtá, ů haňtá, ak̓u̇navañtá*, daneben zweimal *dhaňta*".

155